#수능구문첫걸음
#내가바로독해고수

바로 읽는 구문 독해

바로 시리즈 검토에 도움을 주신 분들

홍정환 선생님(영어의 힘)
박용철 선생님(PK대치스마트에듀)
이성형 선생님(해윰학원)
주은숙 선생님(원클래스 학원)
윤지원 선생님(고려학원)
김지혜 선생님(Epic English)
채효석 선생님(빅터 아카데미)
박주경 선생님(PK대치스마트에듀)
원영아 선생님(멘토영어)
김란숙 선생님(샘앤아이영어)
김도희 선생님(원클래스 학원)
김현욱 선생님(동광학원)
박지혜 선생님(다이나믹 학원)
박은영 선생님(PK대치스마트에듀)
원지윤 선생님(아잉카영어)
이차은 선생님(BOB영어)
Kyle 선생님(한스터디)
이형언 선생님(훈성학원)
이민정 선생님(BMA 어학원)

원어민 검토

Stephanie Berry, Matthew D. Gunderman

Chunjae
Makes
Chunjae

[바로 읽는 구문 독해] LEVEL 1

기획총괄 장경률
편집개발 유순경, 김윤미, 최윤정, 오매남, 이시현, 이민선
디자인총괄 김희정
표지디자인 윤순미, 안채리
내지디자인 디자인뮤제오
제작 황성진, 조규영

발행일 2022년 5월 15일 2판 2024년 12월 1일 3쇄
발행인 (주)천재교육
주소 서울시 금천구 가산로9길 54
신고번호 제2001-000018호
고객센터 1577-0902
교재 구입 문의 1522-5566

※ 정답 분실 시에는 천재교육 교재 홈페이지에서 내려받으세요.

중학부터 시작하는 수능 구문 첫걸음

바로 읽는 구문 독해

LEVEL 1

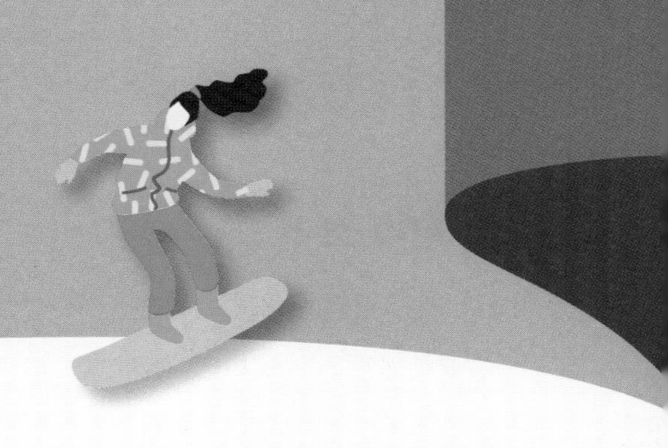

How to Use

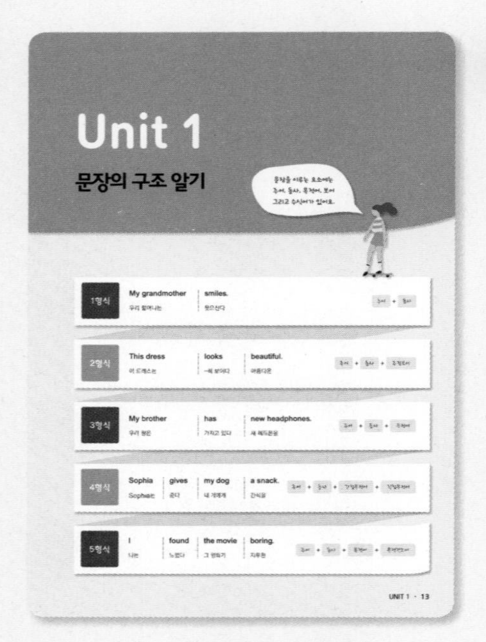

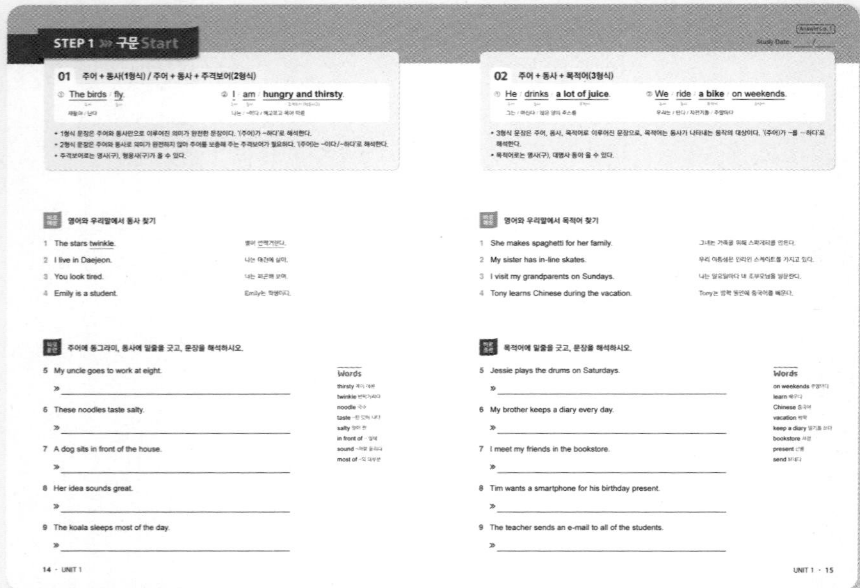

01

단원 미리 보기

이 단원에서 학습할 구문을 한눈에 보기 쉽게 정리하였습니다.

02

STEP 1 >>> 구문 Start

- **개념** 핵심 문장으로 중요 개념을 익힙니다.
- **바로 예문** 영어 예문과 우리말 해석에 학습한 구문을 적용해 봅니다.
- **바로 훈련** 다양한 문장으로 구문 훈련을 해 봅니다.

WORKBOOK

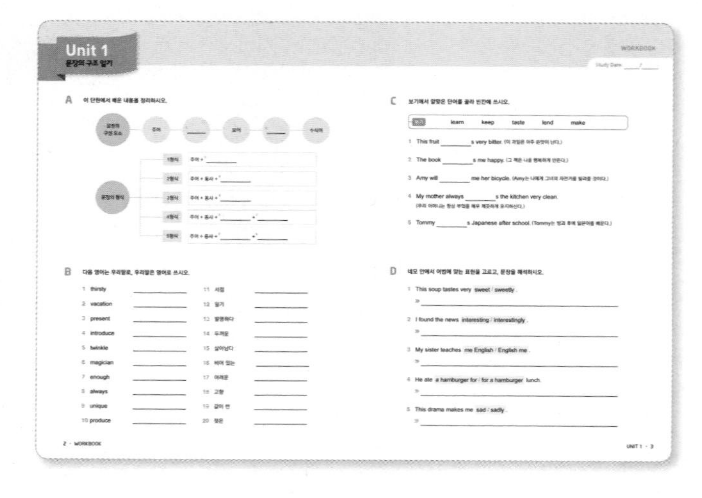

A 한눈에 개념 정리
도표를 완성하며 단원에서 배운 개념을 간단히 정리합니다.

B 어휘 Review
단원에서 학습한 어휘를 복습합니다.

C 어휘+문장
문장 속 어휘의 쓰임을 익힙니다.

D 어법+해석
어법 문제를 풀며 문장 해석 연습을 합니다.

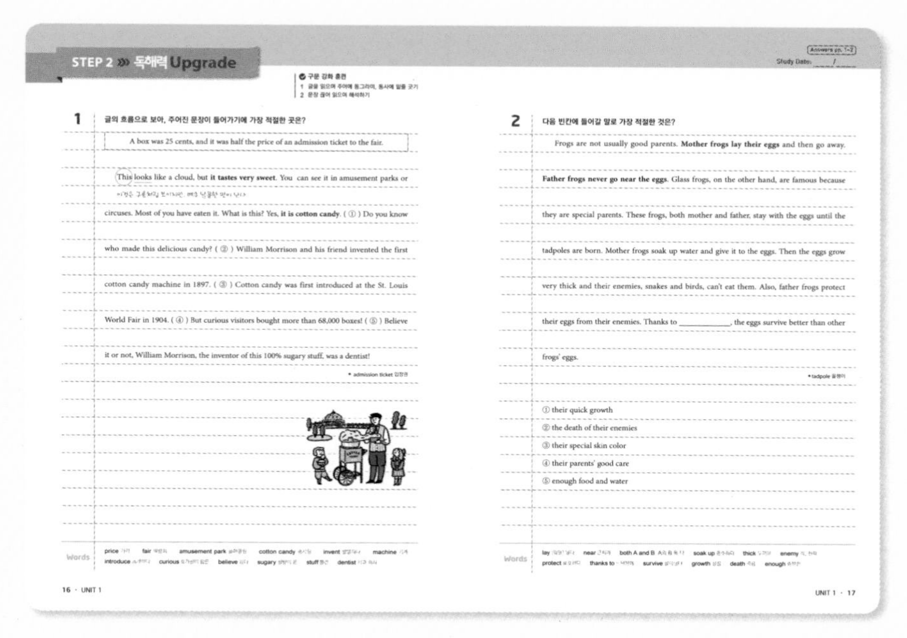

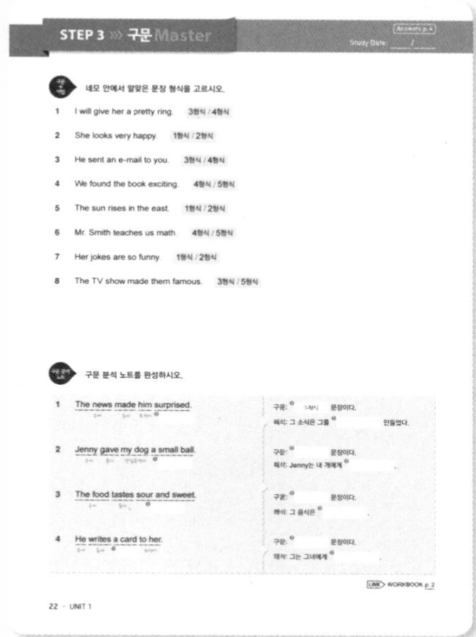

03

STEP 2 ≫ 독해력 Upgrade

- 수능 유형의 문제를 풀며 수능 만점 감각을 키웁니다.
- 전체 지문을 문장 단위로 학습하며 구문 강화 훈련을 합니다.

04

STEP 3 ≫ 구문 Master

- **구문+어법** 어법 문제를 풀며 배운 구문을 재점검합니다.
- **구문 분석 노트** 구문 분석 노트를 완성하며 배운 구문을 정리합니다.

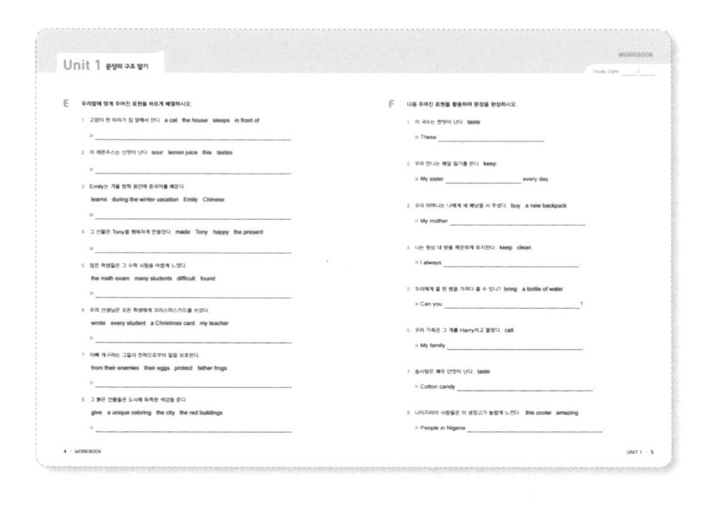

E 영작 훈련 1

주어진 표현을 배열하여 문장을 완성합니다.

F 영작 훈련 2

주어진 표현을 이용하여 문장을 완성합니다.

Contents

UNIT 6 조동사

UNIT 7 명사를 수식하는 어구

UNIT 8 부사 역할을 하는 어구

UNIT 9 여러 가지 연결 어구

UNIT 10 여러 가지 비교 표현

자기 주도 학습 관리표

단원	목차	공부한 날	복습한 날	나의 성취도 체크 (∨)			
		월 / 일	월 / 일	개념 이해	문제 풀이	오답 점검	누적 복습
UNIT 1 문장의 구조 알기	**01** 주어+동사(1형식) / 주어+동사+주격보어(2형식)						
	02 주어+동사+목적어(3형식)						
	03 주어+동사+간접목적어+직접목적어(4형식)						
	04 주어+동사+목적어+목적격보어(5형식)						
UNIT 2 주어와 목적어 자리에 오는 것	**01** 주어 Ⅰ: 명사, 대명사						
	02 주어 Ⅱ: 동명사, to부정사						
	03 목적어 Ⅰ: 명사, 대명사						
	04 목적어 Ⅱ: 동명사, to부정사						
UNIT 3 보어 자리에 오는 것	**01** 주격보어 Ⅰ: 명사, 형용사						
	02 주격보어 Ⅱ: 동명사, to부정사						
	03 목적격보어 Ⅰ: 명사, 형용사						
	04 목적격보어 Ⅱ: to부정사						
UNIT 4 be동사의 시제	**01** 현재시제						
	02 과거시제						
	03 미래시제						
	04 부정문과 의문문						
UNIT 5 일반동사의 시제	**01** 현재시제						
	02 과거시제						
	03 미래시제						
	04 진행시제						

단원	목차	공부한 날	복습한 날	나의 성취도 체크 (V)			
		월 / 일	월 / 일	개념 이해	문제 풀이	오답 점검	누적 복습
UNIT 6 조동사	**01** can						
	02 will						
	03 may						
	04 must, have to, should						
UNIT 7 명사를 수식하는 어구	**01** 형용사						
	02 현재분사, 과거분사						
	03 to부정사의 형용사적 용법						
	04 전치사구						
UNIT 8 부사 역할을 하는 어구	**01** 부사						
	02 빈도부사						
	03 to부정사의 부사적 용법						
	04 전치사구						
UNIT 9 여러 가지 연결 어구	**01** 등위접속사						
	02 상관접속사						
	03 시간의 접속사						
	04 이유 · 양보 · 조건의 접속사						
UNIT 10 여러 가지 비교 표현	**01** 원급 비교						
	02 비교급 비교						
	03 최상급 비교						
	04 기타 비교 표현						

Intro

01 문장의 구성 요소

문장을 이루는 구성 요소에는 주어, 동사, 목적어, 보어, 수식어가 있다.

The musical is interesting.
주어 동사 보어

My sister eats cereal in the morning.
주어 동사 목적어 수식어

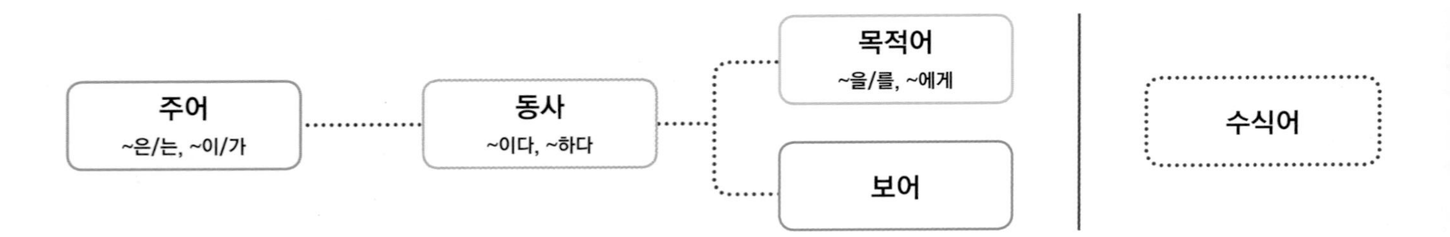

1 주어
동사가 나타내는 동작이나 상태의 주체가 되는 말로, 주로 문장 맨 앞에 쓴다.

» **Emma** is from England. Emma는 영국 출신이다.
주어 동사

» **My brother** likes strawberry cake. 내 남동생은 딸기 케이크를 좋아한다.
주어 동사

2 동사
주어의 동작이나 상태를 나타내는 말로, 주로 주어 뒤에 쓴다.

» They **are** very tired. 그들은 매우 피곤하다. 〈상태〉
주어 동사

» Rabbits **run** faster than turtles. 토끼는 거북이보다 빨리 달린다. 〈동작〉
주어 동사

3 목적어

동사가 나타내는 동작의 대상이 되는 말로, 주로 동사 뒤에 쓴다.

» Sam grows **vegetables** in the garden. Sam은 정원에서 채소를 기른다.
주어 동사 목적어

» Jane made **him a sandwich**. Jane은 그에게 샌드위치를 만들어 줬다.
주어 동사 간접목적어 직접목적어

4 보어

주어나 목적어를 보충하여 설명하는 말로, 주로 동사나 목적어 뒤에 쓴다.

» She is **my homeroom teacher**. 그녀는 나의 담임선생님이다. 〈주격보어〉
주어 동사 보어

» The food looks **delicious**. 그 음식은 맛있어 보인다. 〈주격보어〉
주어 동사 보어

» The movie made them **sad**. 그 영화는 그들을 슬프게 만들었다. 〈목적격보어〉
주어 동사 목적어 보어

5 수식어

주어, 동사, 목적어, 보어 또는 문장 전체를 수식하여 의미를 더 자세하고 풍부하게 해 주는 말이다.

» The phone **on the table** is mine. 책상 위에 있는 전화는 내 것이다. 〈주어 수식〉
주어 수식어 동사 보어

» The boy cried **loudly**. 그 소년은 큰소리로 울었다. 〈동사 수식〉
주어 동사 수식어

바로 훈련 **밑줄 친 부분이 어떤 문장 구성 요소인지 〈보기〉에서 골라 쓰시오.**

1. His job is an animal doctor.
( ) ( )
2. The bird in the tree sings beautifully.
( ) ( ) ( )
3. Mina and I will join the ski camp this winter.
( ) ( ) ( )
4. The news made them surprised.
( ) ( )

보기
주어
동사
목적어
보어
수식어

Answers 1. 동사, 보어 2. 주어, 수식어, 동사 3. 주어, 목적어, 수식어 4. 목적어, 보어

02 품사

단어를 성격과 쓰임이 비슷한 것끼리 분류한 것으로, 영어에는 8개의 품사가 있다.

Oh, that sounds fun.
감탄사 대명사 동사 형용사

The small and skinny polar bear on the ice looks very hungry.
관사 형용사 접속사 형용사 명사 전치사 관사 명사 동사 부사 형용사

1 명사

사람, 동물, 사물, 장소 등의 이름을 나타내는 말로, 문장에서 주어, 목적어, 보어로 쓰인다.

e.g. Busan, water, idea, friend, family

» **Jejudo** is a popular **destination** for foreign **tourists**.

제주도는 외국인 관광객들에게 인기 있는 여행지이다.

2 대명사

명사를 대신하는 말로, 명사처럼 주어, 목적어, 보어로 쓰인다.

e.g. I, you, we, he, she, it, they, this, that

» **I** know the man. **He** lives next door to **me**. (He = the man)

나는 그 남자를 안다. 그는 내 옆집에 산다.

3 동사

사람, 동물, 사물 등의 동작이나 상태를 나타내는 말이다.

e.g. be동사(am, is, are), 일반동사(do, have, like, ...) 조동사(can, may, will, ...)

» My family **goes** camping every weekend.

우리 가족은 주말마다 캠핑을 떠난다.

4 형용사

사람, 사물의 상태, 모양, 성질, 수량 등을 나타내는 말로, 명사를 수식하거나 보어 역할을 한다.

e.g. good, kind, big, hot, cold, many, ...

» David and I are **good** friends.

David와 나는 좋은 친구이다.

5	**부사**	장소, 방법, 시간, 정도 등을 나타내며, 형용사, 동사, 다른 부사 또는 문장 전체를 수식한다.
		e.g. today, here, very, really, always, often, luckily, ...

» Judy speaks Korean **very well.**

Judy는 한국어를 매우 잘 말한다.

6	**전치사**	명사나 대명사 앞에 위치하여 장소, 방향, 시간, 수단 등을 나타내는 말이다.
		e.g. in, at, to, under, over, about, by, for, ...

» They went **to** the hospital **by** taxi.

그들은 택시를 타고 병원에 갔다.

7	**접속사**	단어와 단어, 구와 구, 절과 절을 이어주는 말이다.
		e.g. and, or, but, so, before, after, because, when, ...

» I like pizza, **but** my brother likes chicken.

나는 피자를 좋아하지만, 내 남동생은 치킨을 좋아한다.

8	**감탄사**	놀람이나 기쁨, 슬픔 등의 감정을 나타내는 말이다.
		e.g. oh, wow, um, oops, ...

» **Oh**, I like your new hairstyle.

오, 나는 너의 새로운 머리 모양이 마음에 들어.

바로 훈련 **밑줄 친 부분의 품사를 〈보기〉에서 골라 쓰시오.**

1. She is a popular singer.
( ) ( ) ( )

2. The black dog looks very scary.
( ) ( ) ( )

3. Oops, I left my wallet on the bus.
( ) ( ) ( )

4. Emma stayed at home because it rained heavily.
( ) ( ) ( ) ( )

보기

명사 대명사
동사 형용사
부사 전치사
접속사 감탄사

Answers 1. 대명사, 형용사, 명사 2. 형용사, 동사, 부사 3. 감탄사, 동사, 전치사 4. 명사, 전치사, 접속사, 부사

03 구와 절

두 개 이상의 단어가 모이면 구나 절이 된다.

My father enjoys watching baseball games.
명사구

When she was young, she wanted to be a pilot.
종속절(부사절) 주절

1 구

두 개 이상의 단어가 모여서 만들어지는 말로, 「주어 + 동사」가 없다. 명사구, 형용사구, 부사구가 있다.

» I like **walking in the rain**. 나는 빗속을 걷는 것을 좋아한다.
명사구

» We need something **to drink**. 우리는 마실 것이 필요하다.
형용사구

» He went fishing **early in the morning**. 그는 아침 일찍 낚시하러 갔다.
부사구

2 절

두 개 이상의 단어가 모여서 만들어지는 말로, 「주어 + 동사」를 포함한다. 명사절, 형용사절, 부사절이 있다.

» I believe **that he is telling the truth**. 나는 그가 진실을 말하고 있다고 믿는다.
명사절

» The book **that you lent me** was interesting. 네가 나에게 빌려준 그 책은 재미있었다.
형용사절

» I am hungry **because I skipped lunch**. 나는 점심을 걸러서 배가 고프다.
부사절

바로 훈련 **밑줄 친 부분이 구인지 절인지 쓰시오.**

1. He wants to buy a new car. » ______________
2. I didn't know that you have a twin sister. » ______________
3. Just call me when you need my help. » ______________
4. She likes to swim in the sea. » ______________

Answers 1. 구 2. 절 3. 절 4. 구

Unit 1

문장의 구조 알기

문장을 이루는 요소에는
주어, 동사, 목적어, 보어
그리고 수식어가 있어요.

1형식

My grandmother	smiles.	주어 + 동사
우리 할머니는	웃으신다	

2형식

This dress	looks	beautiful.	주어 + 동사 + 주격보어
이 드레스는	~해 보이다	아름다운	

3형식

My brother	has	new headphones.	주어 + 동사 + 목적어
우리 형은	가지고 있다	새 헤드폰을	

4형식

Sophia	gives	my dog	a snack.	주어 + 동사 + 간접목적어 + 직접목적어
Sophia는	준다	내 개에게	간식을	

5형식

I	found	the movie	boring.	주어 + 동사 + 목적어 + 목적격보어
나는	느꼈다	그 영화가	지루한	

STEP 1 »» 구문Start

01 주어 + 동사(1형식) / 주어 + 동사 + 주격보어(2형식)

① The birds / fly.
주어 동사
새들이 / 난다

② I / am / **hungry and thirsty**.
주어 동사 주격보어 (형용사구)
나는 / ~이다 / 배고프고 목이 마른

- 1형식 문장은 주어와 동사만으로 이루어진 의미가 완전한 문장이다. '(주어)가 ~하다'로 해석한다.
- 2형식 문장은 주어와 동사로 의미가 완전하지 않아 주어를 보충해 주는 주격보어가 필요하다. '(주어)는 ~이다/~하다'로 해석한다.
- 주격보어로는 명사(구), 형용사(구)가 올 수 있다.

바로 예문 영어와 우리말에서 동사 찾기

1 The stars twinkle. 별이 반짝거린다.

2 I live in Daejeon. 나는 대전에 살아.

3 You look tired. 너는 피곤해 보여.

4 Emily is a student. Emily는 학생이다.

바로 훈련 주어에 동그라미, 동사에 밑줄을 긋고, 문장을 해석하시오.

5 My uncle goes to work at eight.

»

6 These noodles taste salty.

»

7 A dog sits in front of the house.

»

8 Her idea sounds great.

»

9 The koala sleeps most of the day.

»

Words

thirsty 목이 마른
twinkle 반짝거리다
noodle 국수
taste ~한 맛이 나다
salty 맛이 짠
in front of ~ 앞에
sound ~처럼 들리다
most of ~의 대부분

Answers p. 1

Study Date: ____ / ____

02 주어 + 동사 + 목적어(3형식)

① He / drinks / **a lot of juice**.
주어 / 동사 / 목적어
그는 / 마신다 / 많은 양의 주스를

② We / ride / **a bike** / on weekends.
주어 / 동사 / 목적어 / 수식어
우리는 / 탄다 / 자전거를 / 주말마다

- 3형식 문장은 주어, 동사, 목적어로 이루어진 문장으로, 목적어는 동사가 나타내는 동작의 대상이다. '(주어)가 ~를 …하다'로 해석한다.
- 목적어로는 명사(구), 대명사 등이 올 수 있다.

바로 예문 영어와 우리말에서 목적어 찾기

1 She makes spaghetti for her family. 그녀는 가족을 위해 스파게티를 만든다.

2 My sister has in-line skates. 우리 여동생은 인라인 스케이트를 가지고 있다.

3 I visit my grandparents on Sundays. 나는 일요일마다 내 조부모님을 방문한다.

4 Tony learns Chinese during the vacation. Tony는 방학 동안에 중국어를 배운다.

바로 훈련 목적어에 밑줄을 긋고, 문장을 해석하시오.

5 Jessie plays the drums on Saturdays.

» ____________________

6 My brother keeps a diary every day.

» ____________________

7 I meet my friends in the bookstore.

» ____________________

8 Tim wants a smartphone for his birthday present.

» ____________________

9 The teacher sends an e-mail to all of the students.

» ____________________

Words

on weekends 주말마다
learn 배우다
Chinese 중국어
vacation 방학
keep a diary 일기를 쓰다
bookstore 서점
present 선물
send 보내다

STEP 2 »» 독해력 Upgrade

구문 강화 훈련
1 글을 읽으며 주어에 동그라미, 동사에 밑줄 긋기
2 문장 끊어 읽으며 해석하기

1

글의 흐름으로 보아, 주어진 문장이 들어가기에 가장 적절한 곳은?

A box was 25 cents, and it was half the price of an admission ticket to the fair.

This looks like a cloud, but **it tastes very sweet**. You can see it in amusement parks or
이것은 구름처럼 보이지만, 매우 달콤한 맛이 난다.
circuses. Most of you have eaten it. What is this? Yes, **it is cotton candy**. (①) Do you know who made this delicious candy? (②) William Morrison and his friend invented the first cotton candy machine in 1897. (③) Cotton candy was first introduced at the St. Louis World Fair in 1904. (④) But curious visitors bought more than 68,000 boxes! (⑤) Believe it or not, William Morrison, the inventor of this 100% sugary stuff, was a dentist!

* admission ticket 입장권

Words
price 가격 fair 박람회 amusement park 놀이공원 cotton candy 솜사탕 invent 발명하다 machine 기계
introduce 소개하다 curious 호기심이 많은 believe 믿다 sugary 설탕이 든 stuff 물건 dentist 치과 의사

2 다음 빈칸에 들어갈 말로 가장 적절한 것은?

Frogs are not usually good parents. **Mother frogs lay their eggs** and then go away. **Father frogs never go near the eggs**. Glass frogs, on the other hand, are famous because they are special parents. These frogs, both mother and father, stay with the eggs until the tadpoles are born. Mother frogs soak up water and give it to the eggs. Then the eggs grow very thick and their enemies, snakes and birds, can't eat them. Also, father frogs protect their eggs from their enemies. Thanks to ____________, the eggs survive better than other frogs' eggs.

*tadpole 올챙이

① their quick growth
② the death of their enemies
③ their special skin color
④ their parents' good care
⑤ enough food and water

Words lay (알을) 낳다 near 근처에 both A and B A와 B 둘 다 soak up 흡수하다 thick 두꺼운 enemy 적, 천적 protect 보호하다 thanks to ~ 덕분에 survive 살아남다 growth 성장 death 죽음 enough 충분한

STEP 1 ››› 구문 Start

03 주어 + 동사 + 간접목적어 + 직접목적어(4형식)

① She / bought / **me** / **a new backpack**.
주어 동사 간접목적어 직접목적어
그녀는 / 사 주었다 / 나에게 / 새 배낭을

② I / gave / **him** / **a cup of tea**.
주어 동사 간접목적어 직접목적어
나는 / 주었다 / 그에게 / 차 한 잔을

- 4형식 문장은 동사 뒤에 두 개의 목적어가 오는 문장으로, '(주어)가 ~에게 …를 ~하다'로 해석한다.
- 대표적인 4형식 동사로는 give, buy, make, teach, show, send, ask 등이 있다.

바로 예문 영어와 우리말에서 직접목적어 찾기

1 Jake asks the teacher many questions. — Jake는 선생님께 많은 질문을 한다.

2 My friend made me a skirt. — 내 친구는 나에게 치마를 만들어 주었다.

3 My aunt teaches children English at school. — 우리 이모는 학교에서 아이들에게 영어를 가르친다.

4 Olivia sent me a letter yesterday. — Olivia는 어제 나에게 편지를 보냈다.

바로 훈련 간접목적어에 동그라미, 직접목적어에 밑줄을 긋고, 문장을 해석하시오.

5 My mother buys me a swimsuit in summer.

» ______________________________

6 The magician showed children an empty box.

» ______________________________

7 David lent her his umbrella.

» ______________________________

8 He made us a robot in class.

» ______________________________

9 Can you bring me some water?

» ______________________________

Words
backpack 배낭
a cup of tea 차 한 잔
question 질문
letter 편지
swimsuit 수영복
magician 마술사
empty 비어 있는
lend 빌려주다
bring 가져오다

Answers p. 2

Study Date: ____ / ____

04 주어 + 동사 + 목적어 + 목적격보어(5형식)

① My family / called / **the dog** / **Elvis**.
주어 / 동사 / 목적어 / 목적격보어
우리 가족은 / 불렀다 / 그 개를 / Elvis라고

② We / made / **the room** / **cozy**.
주어 / 동사 / 목적어 / 목적격보어
우리는 / 만들었다 / 그 방을 / 아늑한

- 5형식 문장은 동사 뒤에 목적어와 목적어를 보충해 주는 목적격보어가 오는 문장으로, '(주어)가 ~를 …라고/하게 ~하다'로 해석한다. 목적격보어로는 명사(구), 형용사(구) 등이 올 수 있다.
- 대표적인 5형식 동사로는 call, name, make, keep, find 등이 있다.

바로 예문 영어와 우리말에서 목적격보어 찾기

1 Thick clothes keep people warm. 두꺼운 옷은 사람들을 따뜻하게 유지해 준다.

2 The news makes me sad. 그 소식은 나를 슬프게 만든다.

3 I found the exam difficult. 나는 그 시험을 어렵게 느꼈다.

4 Chris named his cat Mango. Chris는 그의 고양이를 Mango라고 이름 지었다.

바로 훈련 괄호 안에 주어진 표현을 바르게 배열하고, 문장을 해석하시오.

5 Flowers ____________________. (happy / make / me)

» ____________________

6 Some students ____________________. (science / easy / find)

» ____________________

7 His fans ____________________. (him / call / Superman)

» ____________________

8 I always ____________________. (keep / clean / my room)

» ____________________

9 Jenny ____________________. (named / Cathy / her daughter)

» ____________________

Words

cozy 아늑한
warm 따뜻한
exam 시험
difficult 어려운
name 이름을 지어주다
science 과학
always 항상
keep 유지하다
daughter 딸

STEP 2 »» 독해력 Upgrade

✔ 구문 강화 훈련
1 글을 읽으며 주어에 동그라미, 동사에 밑줄 긋기
2 문장 끊어 읽으며 해석하기

3

다음 글의 빈칸 (A), (B)에 들어갈 말로 가장 적절한 것은?

People in Bologna, Italy, gave their city three nicknames. The first one is "The Red." This
이탈리아의 볼로냐 사람들은 그들의 도시에 세 개의 별명을 주었다.
name comes from the many red-colored buildings in Bologna. **The red buildings give the city a unique coloring.** ______(A)______, Bologna is known as "The Wise" because it has the oldest university in Europe. The University of Bologna was founded in 1088 and is still an important cultural center in Italy. ______(B)______, some people like to call Bologna "The Fat." This city is a paradise for food lovers and the hometown of Bolognese pasta. These nicknames explain Bologna very well.

	(A)	(B)
①	But	So
②	But	Finally
③	Also	Finally
④	Also	For example
⑤	So	For example

Words
nickname 별명 red-colored 붉은 색의 unique 독특한 be known as ~로 알려지다 found 설립하다 cultural 문화적인 center 중심지 paradise 천국, 낙원 hometown 고향 explain 설명하다 finally 마지막으로 for example 예를 들어

4 다음 글의 내용을 한 문장으로 요약할 때 빈칸을 완성하시오.

How can you keep your food fresh on a very hot day when you don't have a refrigerator? A teacher in Nigeria invented a new cooler. You don't need any ice. It is a "pot-in-pot" cooler. It is made of two clay pots with wet sand between them. It also has a wet cloth or lid on top. This cooler can keep fruits and vegetables fresh for three weeks or more. **People in Nigeria find this cooler amazing** because electricity is not used, and it is very cheap to make. Now this cooler is widely used in other African countries as well as in Nigeria.

→ The new cooler is great because you don't need any ____________ or ____________, and it is ____________ to produce.

Words

refrigerator 냉장고　pot 항아리　made of ~로 만들어진　clay 점토　wet 젖은　lid 뚜껑　amazing 대단한, 놀라운　electricity 전기　cheap 값이 싼　widely 널리　A as well as B B뿐만 아니라 A도　produce 만들어 내다

STEP 3 »» 구문Master

Answers p. 4

Study Date: ____ / ____

네모 안에서 알맞은 문장 형식을 고르시오.

1 I will give her a pretty ring. [3형식 / 4형식]

2 She looks very happy. [1형식 / 2형식]

3 He sent an e-mail to you. [3형식 / 4형식]

4 We found the book exciting. [4형식 / 5형식]

5 The sun rises in the east. [1형식 / 2형식]

6 Mr. Smith teaches us math. [4형식 / 5형식]

7 Her jokes are so funny. [1형식 / 2형식]

8 The TV show made them famous. [3형식 / 5형식]

구문 분석 노트를 완성하시오.

1 The news made him surprised.
주어 / 동사 / 목적어 / ❶ ______

구문: ❷ 5형식 문장이다.
해석: 그 소식은 그를 ❸ ______ 만들었다.

2 Jenny gave my dog a small ball.
주어 / 동사 / 간접목적어 / ❶ ______

구문: ❷ ______ 문장이다.
해석: Jenny는 내 개에게 ❸ ______.

3 The food tastes sour and sweet.
주어 / 동사 / ❶ ______

구문: ❷ ______ 문장이다.
해석: 그 음식은 ❸ ______.

4 He writes a card to her.
주어 / 동사 / ❶ ______ / 수식어

구문: ❷ ______ 문장이다.
해석: 그는 그녀에게 ❸ ______.

LINK WORKBOOK p. 2

Unit 2

주어와 목적어 자리에 오는 것

주어는 동사가 나타내는 동작이나 상태의 주체가 되는 말이고, 목적어는 동사가 나타내는 동작의 대상이 되는 말이에요.

주어 자리

명사 대명사	Dogs 개는	are ~이다	very friendly. 매우 다정한	
동명사 to부정사	To ride a skateboard 스케이트보드를 타는 것은	is ~이다	exciting. 신나는	

목적어 자리

명사 대명사	Daniel Daniel은	writes 쓴다	a letter 편지를	to Jane Jane에게	every day. 매일
동명사 to부정사	We 우리는	hope 바란다	to meet Kenny Kenny를 만나기를	again. 다시	

STEP 1 »» 구문 Start

01 주어 I: 명사, 대명사

① Cats / are / my favorite animals.
주어(명사) 동사
고양이는 / ~이다 / 내가 가장 좋아하는 동물

② I / walk / to school / every day.
주어(대명사) 동사
나는 / 걸어서 간다 / 학교에 / 매일

- 주어는 동사 앞에 위치하며, '~은/는/이/가'로 해석한다.
- 명사 또는 두 단어 이상이 모여 명사 역할을 하는 명사(구)와 대명사가 주어 자리에 올 수 있다.
- 인칭대명사의 경우 주격(I, you, he, she, it, we, they) 형태가 온다.

바로 예문 영어와 우리말에서 주어 찾기

1 Sydney is a beautiful city. — 시드니는 아름다운 도시이다.

2 My family goes on a picnic in spring. — 우리 가족은 봄에 소풍을 간다.

3 He likes comic books. — 그는 만화책을 좋아한다.

4 That is my uncle's new car. — 저것은 우리 삼촌의 새 자동차이다.

바로 훈련 주어에 밑줄을 긋고, 문장을 해석하시오.

5 Liam helps his parents after school.

» ______________________

6 Water doesn't run in this river.

» ______________________

7 This hat is a present for my father.

» ______________________

8 My friends like to play Internet games.

» ______________________

9 We close our store on Sundays.

» ______________________

Words

favorite 가장 좋아하는
go on a picnic 소풍을 가다
spring 봄
comic book 만화책
run (강물이) 흐르다
river 강
present 선물
close (문을) 닫다
store 가게

Answers p. 5

Study Date: ____ / ____

02 주어 Ⅱ: 동명사, to부정사

① **Teaching** / is / learning.
주어(동명사) 동사
가르치는 것이 / ~이다 / 배우는 것

② **To play badminton** / is / a good exercise.
주어(to부정사구) 동사
배드민턴을 치는 것은 / ~이다 / 좋은 운동

- 동명사(동사원형+-ing)와 to부정사(to+동사원형)는 주어 자리에 올 수 있고, '~하는 것은 / ~하기는'으로 해석한다.
- 동명사나 to부정사는 뒤에 목적어나 수식어구 등이 함께 쓰여 길어질 수 있다.

바로 예문 영어와 우리말에서 주어 찾기

1 Riding a horse is fun. 말을 타는 것은 재미있다.

2 To stay home alone is boring. 집에 혼자 있는 것은 지루하다.

3 Taking care of pets is not easy. 애완동물을 돌보는 것은 쉽지 않다.

4 To help others makes me happy. 다른 사람들을 돕는 것은 나를 행복하게 한다.

바로 훈련 괄호 안에 주어진 동사를 알맞은 형태로 바꾸어 쓰고, 문장을 해석하시오.

5 ________ to other countries is exciting. (travel, 동명사)

» ________________________________

6 ________ along the beach feels great. (run, to부정사)

» ________________________________

7 ________ for food online is simple. (shop, 동명사)

» ________________________________

8 ________ good books is difficult. (choose, to부정사)

» ________________________________

9 ________ enough is important for your growth. (sleep, 동명사)

» ________________________________

Words

exercise 운동
stay 머무르다
alone 혼자
take care of ~을 돌보다
travel 여행하다
country 나라
along ~을 따라
simple 간단한
choose 고르다
important 중요한
growth 성장

✔ 구문 강화 훈련
1 글을 읽으며 주어에 동그라미, 동사에 밑줄 긋기
2 문장 끊어 읽으며 해석하기

1

밑줄 친 ①~⑤ 중에서 가리키는 대상이 나머지 넷과 다른 것은?

Paula and her husband Chris heard crying. It was coming from Tommy's room. Tommy

Paula와 그녀의 남편 Chris는 우는 소리를 들었다.

was crying a lot. **They** ran into the room. Tommy said, "Mommy, I ate a five-cent coin. I am going to die." Calming him down was difficult. So **Chris** took a five-cent coin out from his pocket. He put ① it on his palm. Then he did a magic trick: he made ② it disappear from Tommy's ear. Soon Tommy became happy. But suddenly he took ③ the coin from his father's hand and ate ④ it. Then he said happily, "Daddy, do ⑤ it again!"

Words
coin 동전 be going to ~할 것이다 die 죽다 calm down 진정시키다 difficult 어려운 pocket 주머니
palm 손바닥 magic trick 마술 묘기 disappear 사라지다 suddenly 갑자기 happily 행복하게 again 다시

Answers pp. 5~6

Study Date: ____ / ____

2 다음 글의 제목으로 가장 적절한 것은?

Have you ever seen people talking and smiling in a very hot room? Some of your parents probably like having a sauna. Finnish people love saunas much more than us. There are over three million saunas in Finland, and this number is almost half of the population of Finland! So, **to find saunas in Finland** is not difficult. Almost every house has a sauna, and even some churches have their own sauna too. **Relaxing in a sauna** is an important part of Finnish people's life. They think of Saturday as "sauna day." They feel relaxed, enjoying their saunas and having dinner with friends and family.

① Origin of the Sauna
② Various Types of Saunas
③ How Good is a Sauna for Health?
④ The Finnish People's Love for Saunas
⑤ Difference Between Korean and Finnish Saunas

Words smile 웃다 probably 아마도 Finnish 핀란드인의 million 백만 almost 거의 half 절반 population 인구 relax 휴식하다 important 중요한 origin 기원 various 다양한 difference 차이

STEP 1 »» 구문 Start

03 목적어 I: 명사, 대명사

① I / make / cookies / every Saturday.
주어 동사 목적어(명사)
나는 / 만든다 / 쿠키를 / 매주 토요일마다

② Kevin / loves / her / so much.
주어 동사 목적어 (대명사)
Kevin은 / 사랑한다 / 그녀를 / 아주 많이

- 목적어는 주로 동사 바로 뒤에 위치하며 '~을/를'로 해석한다.
- 명사(구)와 대명사가 목적어 자리에 올 수 있다.
- 인칭대명사의 경우 목적격(me, you, him, her, it, us, them) 형태가 온다.

바로 예문 영어와 우리말에서 목적어 찾기

1 Eddie likes scary movies. — Eddie는 무서운 영화를 좋아한다.

2 My mother drinks coffee every day. — 우리 어머니는 매일 커피를 드신다.

3 Jenny knows me very well. — Jenny는 나를 매우 잘 안다.

4 I usually skip breakfast. — 나는 보통 아침 식사를 거른다.

바로 훈련 목적어에 밑줄을 긋고, 문장을 해석하시오.

5 Can you help me this weekend?

» ______________________

6 Mr. Franklin teaches social studies at school.

» ______________________

7 She remembers my phone number.

» ______________________

8 The doctor always wears a mask.

» ______________________

9 The artist draws a picture on the computer.

» ______________________

Words

scary 무서운
usually 보통
skip 거르다
breakfast 아침 식사
social studies 사회
remember 기억하다
wear 착용하다
artist 화가
draw 그리다
picture 그림

Answers p. 6

Study Date: ____ / ____

04 목적어 II: 동명사, to부정사

① We / enjoy / **swimming**.
주어 동사 목적어(동명사)
우리는 / 즐긴다 / 수영하는 것을

② I / want / **to go camping**.
주어 동사 목적어(to부정사구)
나는 / 원한다 / 캠핑하러 가는 것을

- 동명사(동사원형+-ing)와 to부정사(to+동사원형)는 목적어 자리에 올 수 있고, '~하는 것을 / ~하기를'로 해석한다.
- 동사 enjoy, finish, mind, keep은 목적어로 동명사가 오고, want, decide, hope, expect는 목적어로 to부정사가 온다.

바로 예문 영어와 우리말에서 목적어 찾기

1 We hope to see you soon. 우리는 너를 곧 보기를 바란다.

2 I don't mind driving in the snow. 나는 눈길에서 운전하는 것을 꺼리지 않는다.

3 My sister decided to go to Europe. 우리 언니는 유럽에 가는 것을 결정했다.

4 He finishes reading a newspaper in the morning. 그는 아침에 신문 읽는 것을 끝낸다.

바로 훈련 네모 안에서 알맞은 목적어의 형태를 고르고, 문장을 해석하시오.

5 Kane wants [making / to make] new friends.

» ________________________________

6 Why does the baby keep [to cry / crying] ?

» ________________________________

7 Joan enjoys [take / taking] a bath at night.

» ________________________________

8 They expect [to win / winning] the tennis match.

» ________________________________

9 Kate hopes [to be / being] a famous designer.

» ________________________________

Words

enjoy 즐기다
hope 바라다
mind 꺼리다
decide 결정하다
finish 끝내다
keep 계속하다
take a bath 목욕을 하다
expect 기대하다
win 이기다
match 시합, 경기
designer 디자이너

✔ 구문 강화 훈련
1 글을 읽으며 주어에 동그라미, 동사에 밑줄 긋기
2 문장 끊어 읽으며 해석하기

3

글의 흐름으로 보아, 주어진 문장이 들어가기에 가장 적절한 곳은?

But they already had their own sport called "football."

You may know that soccer began in England. Do you know how "soccer" got its name?

당신은 축구가 영국에서 시작되었다는 것을 알고 있을지도 모른다.

(①) In England, there were two types of football: rugby football and association football. (②) The nickname of rugby football was "rugger," and the nickname of association football was "assoc." (③) The word "assoc" became "soccer," because soccer was easier to say than assoc. (④) Later, association football came to North America, and Americans liked **it**. (⑤) Instead, they used **the British nickname "soccer"** for the new sport.

* association 공동, 협회

Words
already 이미, 벌써 begin 시작하다 type 종류, 형태 nickname 별명, 별칭 become ~이 되다 easier 더 쉬운 than ~보다 later 나중에 instead 대신에 British 영국의

Answers p. 7
Study Date: ____ / ____

4 **주어진 글에 이어질 내용을 순서에 맞게 배열한 것으로 가장 적절한 것은?**

We all know what anger is, and we've all felt it. Anger is normal. But when it gets out of control, it can cause problems.

(A) Imagine the lemon wearing clothes and doing things the person does. Surely, you will laugh. When you enjoy **laughing at jokes** like this, your anger will go away!

(B) To learn to calm down is important when you are very angry. So how can you calm down? Here is an easy and fun way.

(C) Try to use "silly humor." For example, if you want **to call someone a "lemon,"** try to imagine a real lemon.

① (A)-(C)-(B) ② (B)-(A)-(C) ③ (B)-(C)-(A)
④ (C)-(A)-(B) ⑤ (C)-(B)-(A)

Words
anger 화, 분노 normal 정상적인 get out of ~을 벗어나다 control 통제 cause 일으키다 imagine 상상하다 surely 틀림없이 laugh 웃다 try to ~하려고 시도하다 silly 어리석은 humor 유머 real 진짜의

Answers p. 8

Study Date: ____ / ____

네모 안에서 알맞은 표현을 고르시오.

1 [They / Their] love Korean food very much.

2 [Get up / Getting up] early is not easy.

3 [Eat / To eat] fast food is bad for your growth.

4 Does your friend like [his / him] so much?

5 Billy enjoys [to travel / traveling] to India every year.

6 My sister wants [buying / to buy] a new skirt.

7 Do you mind [closing / to close] the door?

8 I read [their / them] every summer vacation.

구문 분석 노트를 완성하시오.

1 Rose wants to buy the guitar.
주어 / 동사 / ❶ ______

구문: want는 목적어로 ❷ to부정사 가 온다.
해석: Rose는 ❸ ______ 원한다.

2 Playing badminton is exciting.
주어 / 동사 / ❶ ______

구문: 주어 자리에 ❷ ______ 가 온 문장이다.
해석: ❸ ______ 재미있다.

3 She makes bread every Sunday.
주어 / ❶ ______ / 목적어 / 수식어

구문: 목적어 자리에 ❷ ______ 가 온 문장이다.
해석: 그녀는 매주 일요일마다 ❸ ______.

4 My friend likes sour fruits.
주어 / 동사 / ❶ ______

구문: 주어 자리에 ❷ ______ 가 온 문장이다.
해석: ❸ ______ 는 신 과일을 좋아한다.

LINK WORKBOOK p. 6

Unit 3

보어 자리에 오는 것

보어는 주어나 목적어를
보충 설명해 주는 말로,
주로 동사나 목적어 뒤에 와요.

주격보어

명사 형용사	She 그녀는	often 자주	gets ~이 되다	tired. 피곤한
동명사 to부정사	My summer plan 나의 여름 계획은		is ~이다	going paragliding. 패러글라이딩하러 가는 것

목적격보어

명사 형용사	Tommy Tommy는	always 항상	keeps 유지한다	his desk 그의 책상을	clean. 깨끗하게
to부정사	My mother 우리 어머니는	allows 허락하신다	me 내가	to come home late. 늦게 집에 오는 것을	

STEP 1 >>> 구문 Start

01 주격보어 I: 명사, 형용사

① The boy's name / is / **Jonathan**.
주격보어(명사)
그 소년의 이름은 / ~이다 / Jonathan

② I / often / get / **hungry**.
주격보어(형용사)
나는 / 자주 / ~이 되다 / 배고픈

- 주격보어는 주어를 보충 설명해 주는 말로, 명사(구)나 형용사(구)가 올 수 있다.
- 명사가 보어로 올 경우 '(주어)는 ~이다/~되다'로 해석하고, 형용사가 보어로 올 경우 '(주어)는 ~하다/~해지다/~하게 …하다'로 해석한다.

바로 예문 영어와 우리말에서 주격보어 찾기

1 Those girls are my classmates. — 저 소녀들은 우리 반 친구들이다.

2 Cindy and Jessica became friends. — Cindy와 Jessica는 친구가 되었다.

3 The steak looks delicious. — 그 스테이크는 맛있어 보인다.

4 This scarf feels so soft. — 이 스카프는 매우 부드럽게 느껴져.

바로 훈련 주격보어에 밑줄을 긋고, 문장을 해석하시오.

5 The fruit tastes bitter.

» ______________________________

6 The sky is clear and bright.

» ______________________________

7 He is my younger brother.

» ______________________________

8 The little girl became a famous pianist.

» ______________________________

9 Riding a roller coaster is always fun.

» ______________________________

Words

classmate 반 친구
delicious 맛있는
soft 부드러운
bitter (맛이) 쓴
clear 맑은, 깨끗한
bright 밝은
younger 나이가 적은
famous 유명한
ride 타다

Answers p. 9

Study Date: ____ / ____

02 주격보어 II: 동명사, to부정사

① My hobby / is / **taking pictures**.
주격보어(동명사구)
내 취미는 / ~이다 / 사진을 찍는 것

② His plan / is / **to join a book club**.
주격보어(to부정사구)
그의 계획은 / ~이다 / 독서 동아리에 가입하는 것

- 주격보어로 동명사(동사원형+-ing)와 to부정사(to+동사원형)가 올 수 있고, '(주어)는 ~하기이다/~하는 것이다'로 해석한다.
- 동명사나 to부정사는 뒤에 목적어나 수식어구 등이 함께 쓰여 길어질 수 있다.

바로 예문 영어와 우리말에서 주격보어 찾기

1 Her wish is raising ten dogs. 그녀의 바람은 개를 10마리 키우는 것이다.

2 His dream is to become an actor. 그의 꿈은 배우가 되는 것이다.

3 My goal is to climb Mt. Everest. 내 목표는 에베레스트산을 오르는 것이다.

4 Emily's hobby is growing flowers. Emily의 취미는 꽃을 기르는 것이다.

바로 훈련 괄호 안에 주어진 동사를 알맞은 형태로 바꾸어 쓰고, 문장을 해석하시오.

5 Her job is ________ care of patients. (take, to부정사)

» ____________________

6 Jake's problem is ________ late all the time. (be, 동명사)

» ____________________

7 One of the bad habits is ________ nails. (bite, 동명사)

» ____________________

8 The important thing is ________ a doctor regularly. (see, to부정사)

» ____________________

9 One way to save the Earth is ________ the paper. (recycle, 동명사)

» ____________________

Words

plan 계획
join 가입하다
raise 키우다, 기르다
goal 목표
grow 기르다
patient 환자
all the time 항상
habit 습관
nail 손톱
bite 물다
regularly 정기적으로
save 구하다
recycle 재활용하다

STEP 2 »» 독해력 Upgrade

✔ 구문 강화 훈련
1 글을 읽으며 주어에 동그라미, 동사에 밑줄 긋기
2 문장 끊어 읽으며 해석하기

1

다음 글에서 전체 흐름과 관계 없는 문장은?

Elephants have four teeth and two tusks. The tusks are **the long horn-like parts.** You

코끼리는 네 개의 이빨과 두 개의 상아를 가지고 있다.

will find them at the sides of their mouth. ① These tusks grow about 18 centimeters a year and can grow up to 6 meters long! ② African elephants are bigger than Indian elephants. ③ Elephants use their tusks to dig holes for water or fight with their enemies. ④ An interesting fact about tusks is that, like humans, elephants are right- or left-tusked. ⑤ The next time you see an elephant, check its tusks. If the left tusk of the elephant is a little shorter and more rounded than the right one, the elephant is **left-tusked**!

* tusk 상아

Words

horn-like 뿔같이 생긴　side 옆쪽　grow 자라다　up to ~까지　dig (구멍 등을) 파다　fight 싸우다　fact 사실
human 인간　check 확인하다　rounded 둥근

2

주어진 글에 이어질 내용을 순서에 맞게 배열한 것으로 가장 적절한 것은?

Surfing has become a very popular sport all around the world. More and more people are beginning to learn it.

(A) To go surfing, you must swim out from the beach to the waves. And you must be able to swim with your surfboard under your arm.

(B) Another important thing is **to keep your balance on the board and not fall off**. If you can do these two things, you will have an exciting ride in the sea.

(C) But it is not easy to learn surfing. There are two important things. The first thing is **being a good swimmer.**

① (A)-(B)-(C) ② (A)-(C)-(B) ③ (B)-(A)-(C)
④ (C)-(A)-(B) ⑤ (C)-(B)-(A)

Words
popular 인기 있는 begin 시작하다 beach 해변 wave 파도 must ~해야 한다 be able to ~할 수 있다
important 중요한 balance 균형 fall off 떨어지다 exciting 신나는 ride (말·탈것 등을) 타기

STEP 1 »» 구문Start

03 목적격보어 I: 명사, 형용사

① They / named / their baby / **Lily**.
(their baby: 목적어, Lily: 목적격보어(명사))
그들은 / 이름 지었다 / 그들의 아기를 / Lily라고

② I / always / keep / my clothes / **clean**.
(my clothes: 목적어, clean: 목적격보어(형용사))
나는 / 항상 / 유지한다 / 내 옷을 / 깨끗하게

- 목적격보어는 목적어를 보충 설명해 주는 말로, 명사(구)나 형용사(구)가 올 수 있다.
- 명사가 보어로 올 경우 '(주어)는 ~를 …라고/로 ~하다'로 해석하고, 형용사가 보어로 올 경우 '(주어)는 ~를/가 …하게 ~하다'로 해석한다.

바로 예문 영어와 우리말에서 목적격보어 찾기

1 That makes her very angry. — 그것은 그녀를 매우 화나게 만든다.

2 They call me a gentleman. — 그들은 나를 신사라고 부른다.

3 People found selfie sticks amazing. — 사람들은 셀카 봉이 놀랍게 느껴졌다.

4 His mother made him a soccer player. — 그의 어머니는 그를 축구 선수로 만들었다.

바로 훈련 목적격보어에 밑줄을 긋고, 문장을 해석하시오.

5 We call her a genius.

» ______________________________

6 My parents named our hamster Coco.

» ______________________________

7 People made him a leader of the country.

» ______________________________

8 We found the sofa very comfortable.

» ______________________________

9 Wearing a helmet keeps your head safe.

» ______________________________

Words

always 항상
gentleman 신사
find ~라고 여기다(느끼다)
selfie stick 셀카 봉
genius 천재
leader 지도자
country 나라
comfortable 편안한
safe 안전한

Answers p. 10

Study Date: /

04 목적격보어 Ⅱ: to부정사

① I / want / you / to come home.
(you: 목적어, to come home: 목적격보어(to부정사구))
나는 / 원한다 / 네가 / 집에 돌아오기를

② She / expects / me / to be a lawyer.
(me: 목적어, to be a lawyer: 목적격보어(to부정사구))
그녀는 / 기대한다 / 내가 / 변호사가 되는 것을

- 목적격보어로 to부정사(to+동사원형)가 올 수 있고, '(주어)는 ~가 …하기를/하는 것을 ~한다'로 해석한다.
- 목적격보어로 to부정사가 오는 동사로는 want, ask, expect, allow, tell 등이 있다.

바로 예문 영어와 우리말에서 목적격보어 찾기

1 The doctor asked me to stay in bed. 의사는 나에게 침대에서 쉬라고 요청했다.

2 Ben wants her to continue the work. Ben은 그녀가 그 일을 계속하기를 원한다.

3 What did he tell you to do? 그가 너에게 무엇을 하라고 말했니?

4 The restaurant allows pets to come in. 그 식당은 애완동물들이 들어오는 것을 허락한다.

바로 훈련 목적격보어에 밑줄을 긋고, 문장을 해석하시오.

5 Do you want me to visit them often?

» ______________________

6 The Internet allows people to share ideas.

» ______________________

7 Don't expect me to do all the house chores.

» ______________________

8 Cindy sometimes asks me to feed her cat.

» ______________________

9 My father always tells me to help the poor.

» ______________________

Words

expect 기대하다
lawyer 변호사
continue 계속하다
tell 말하다
restaurant 식당
allow 허락하다
share 공유하다
do house chores 집안일하다
sometimes 가끔
feed 먹이를 주다
the poor 가난한 사람들

✔ 구문 강화 훈련
1 글을 읽으며 주어에 동그라미, 동사에 밑줄 긋기
2 문장 끊어 읽으며 해석하기

3 다음 빈칸에 들어갈 말로 가장 적절한 것은?

Have you heard the lyric "like a diamond in the sky" in the children's song, "Twinkle,

아이들 노래인 "반짝반짝 작은 별"에서

Twinkle, Little Star?" People often say that stars shine like a diamond in the sky. But some scientists found a star made of real diamonds in the universe. A dead star was so cold that its carbon formed a giant diamond. It is almost the same size as the Earth! These diamonds are surely interesting for scientists. But they are probably not going to **make anyone very rich** because ____________________.

*lyric 가사 **carbon 탄소

① they are too far away
② they are too expensive
③ only children can see them
④ they don't shine like a diamond
⑤ scientists don't know where they are

Words hear 듣다 twinkle 반짝거리다 shine 빛나다 scientist 과학자 real 진짜의 universe 우주 dead 죽은 form 형성하다 giant 거대한 size 크기 surely 확실히 probably 아마

4 밑줄 친 (A), (B)가 어법에 맞게 바르게 짝지은 것은?

A man was driving down the street in a hurry because he had a very important meeting. But unluckily he couldn't find a parking space. He looked up to heaven for a while and **asked God** (A) find one. He said, "If you find me a parking space, I will go to church every Sunday and **keep the church very** (B) cleanly!" Just then, he saw a car move and leave a parking space. It was very close to him. The man looked up again and said, "Never mind, I just found one."

	(A)	(B)
①	finding	cleaning
②	finding	clean
③	to find	cleaning
④	to find	clean
⑤	to find	to clean

Words
in a hurry 서둘러 unluckily 불행히도 parking space 주차 공간 look up 올려다보다 heaven 하늘
for a while 잠시 동안 church 교회 leave 남겨 두다 close to ~에 가까운 mind 신경 쓰다

네모 안에서 알맞은 표현을 고르시오.

1 This coat feels [soft / softly].

2 My dream is [travel / to travel] around the world.

3 Jane's life goal is [help the poor / helping the poor].

4 David found the comic book [interesting / interestingly].

5 His job is [keep / keeping] the road clean.

6 Please tell her [calling / to call] me back right away.

7 The spaghetti tastes very [salt / salty].

8 My father expects me [exercising / to exercise] regularly.

구문 분석 노트를 완성하시오.

1 Riding a horse is scary.
(❶ ____ / 동사 / 주격보어)

구문: ❷ 형용사 가 주격보어로 온 문장이다.
해석: 말을 타는 것은 ❸ ____.

2 The little boy became a famous actor.
(주어 / ❶ ____ / 주격보어)

구문: ❷ ____ 가 주격보어로 온 문장이다.
해석: 그 작은 소년은 ❸ ____.

3 The diamond ring made her happy.
(주어 / 동사 / ❶ ____ / 목적격보어)

구문: ❷ ____ 가 목적격보어로 온 문장이다.
해석: 그 다이아몬드 반지는 그녀를 ❸ ____.

4 Do you want me to continue the work?
(주어 / 동사 / 목적어 / ❶ ____)

구문: 동사 want는 목적격보어로 ❷ ____ 가 온다.
해석: 너는 내가 ❸ ____ 원하니?

LINK WORKBOOK p.10

Unit 4

be동사의 시제

be동사는 주어의 신분이나 상태 등을 나타내는 말이에요. 인칭과 시제에 따라 모양이 달라져요.

현재시제	James James는	is ~이다	nice 친절한	to everyone. 모두에게	
과거시제	She 그녀는	was ~이었다	late 늦은	for the class 수업에	yesterday. 어제
미래시제	You 너는	will be ~될 것이다	a great musician. 훌륭한 음악가가		
부정문 의문문	They 그들은	are not ~아니다	my close friends. 내 친한 친구들이		

STEP 1 »» 구문Start

01 현재시제

① I / **am** / a middle school student.
1인칭 현재형
나는 / ~이다 / 중학생

② The man / over there / **is** / from Canada.
3인칭 단수 현재형
그 남자는 / 저쪽에 / ~이다 / 캐나다 출신의

- 현재시제는 현재의 동작이나 상태, 습관, 일반적인 사실 등을 나타낸다.
- be동사의 현재시제는 현재의 상태를 나타내며 '~이다/~하다'로 해석한다.
- be동사의 현재형은 인칭에 따라 am, are, is로 쓴다.

바로 예문 우리말 해석 완성하기

1 I am a short story writer. — 나는 단편 소설 ___작가이다___.

2 The pencils on the desk are mine. — 책상 위의 연필들은 ________.

3 Chris and I are best friends. — Chris와 나는 ________.

4 The Earth is round. — 지구는 ________.

바로 훈련 동사에 밑줄을 긋고, 문장을 해석하시오.

5 He is honest and diligent.

» ________________

6 Ms. Parker is at her office now.

» ________________

7 Drinking lots of water every day is good for you.

» ________________

8 My parents are sometimes strict with me.

» ________________

9 Is there a police station near your school?

» ________________

Words

writer 작가
round 둥근
honest 정직한
diligent 부지런한
office 사무실
sometimes 때때로
strict 엄격한
police station 경찰서
near 근처에

Answers p. 13

Study Date: ______ / ______

02 과거시제

① He / **was** / absent / from school / today.
3인칭 단수 과거형
그는 / ~했다 / 결석한 / 학교에 / 오늘

② They / **were** / in London / last week.
3인칭 복수 과거형
그들은 / ~있었다 / 런던에 / 지난주에

- 과거시제는 과거에 일어난 동작이나 상태, 역사적인 사실 등을 나타낸다.
- be동사의 과거시제는 과거의 상태를 나타내며 '~이었다 / ~했다'로 해석한다.
- be동사의 과거형은 인칭에 따라 was, were로 쓴다.

바로 예문 우리말 해석 완성하기

1 We were very upset yesterday. 우리는 어제 매우 ________________.

2 It was windy and cloudy last weekend. 지난 주말에 바람이 불고 ________________.

3 I was in England two years ago. 나는 2년 전에 ________________.

4 My father was busy at that time. 우리 아버지는 그때 ________________.

바로 훈련 네모 안에서 알맞은 동사의 시제를 고르고, 문장을 해석하시오.

5 Julia is / was in the classroom five minutes ago.

» ____

6 Is / Was Jane sick last Saturday?

» ____

7 Jason and I are / were in the same class last year.

» ____

8 They are / were very surprised at the news yesterday.

» ____

9 There is / was a food festival in my town last Sunday.

» ____

Words

absent 결석한
last 지난
upset 화가 난
weekend 주말
ago ~ 전에
minute (시간 단위의) 분
same 같은
be surprised at ~에 놀라다
food festival 음식 축제

STEP 2 ≫ 독해력 Upgrade

✔ 구문 강화 훈련
1 글을 읽으며 주어에 동그라미, 동사에 밑줄 긋기
2 문장 끊어 읽으며 해석하기

1 밑줄 친 ①~⑤ 중에서 문맥상 단어의 쓰임이 적절하지 않은 것은?

Greenland **is** a land of snow and ice. You are not able to see much green there because

그리린란드는 눈과 얼음의 땅이다.

snow and ice **are** everywhere. Then how did Greenland ① get its name? Erik the Red was the first person to ② destroy this land, and he called it "Greenland." To get there, he had to sail through a lot of ice. When he finally found Greenland, he was very ③ pleased to see a green country beyond the ice. Later when he ④ returned to his country, Iceland, he told everybody about this wonderful place and ⑤ named it Greenland.

Words
be able to ~할 수 있다 everywhere 곳곳에 person 사람 destroy 파괴하다 call ~라고 부르다
sail through ~을 뚫고 항해하다 pleased 기쁜 beyond ~ 너머에 return 돌아오다 name 이름을 지어주다

2 다음 글의 빈칸 (A), (B)에 들어갈 말로 가장 적절한 것은?

The tulip is a popular flower in gardens around the world. The Netherlands is now famous for its various kinds of tulips. Also, the tulip is the national flower of the country. ____(A)____, the flowers **were** originally from Turkey. Some people found the beautiful flowers in Turkey and brought them to the Netherlands in the 17th century. Soon after, the flower became very fashionable among rich people. At first, tulips were brought only from Turkey, a country far from the Netherlands. ____(B)____ the price was very high. Sometimes a tulip **was** as expensive as a house!

	(A)	(B)
①	However	So
②	However	Finally
③	Also	Finally
④	Also	But
⑤	For example	So

Words
popular 인기 있는 be famous for ~로 유명한 various 다양한 kind 종류 national flower 국화 originally 원래 fashionable 유행하는 among ~사이에서 bring 가져오다 price 가격 expensive 비싼

STEP 1 >>> 구문Start

03 미래시제

① I / **will be** / fifteen / next year.
will + 동사원형
나는 / ~일 것이다 / 15살 / 내년에

② My father / **will be** / late / tonight.
will + 동사원형
우리 아버지는 / ~일 것이다 / 늦은 / 오늘밤에

- 미래시제는 미래에 일어날 동작이나 상태, 계획 등을 나타낸다.
- be동사의 미래시제는 미래의 상태를 나타내며, '~일 것이다/~할 것이다'로 해석한다.
- be동사의 미래형은 앞에 will을 넣어 will be로 쓴다.

바로 예문 우리말 해석 완성하기

1 You will be a good drummer. 너는 훌륭한 드럼 연주자가 ___될 것이다___.

2 The math exam will be very difficult. 수학 시험은 매우 ________.

3 They will be back in the afternoon. 그들은 오후에 ________.

4 The party will be at my house. 파티는 우리 집에서 ________.

바로 훈련 미래를 나타내는 will에 유의하여 문장을 해석하시오.

5 It will be the rainy season soon.

» ________________________________

6 School will be over at three.

» ________________________________

7 Bill will be very pleased with the present today.

» ________________________________

8 We will be high school students next year.

» ________________________________

9 The air pollution will be a serious problem in the future.

» ________________________________

Words

tonight 오늘밤
exam 시험
be back 돌아오다
rainy season 장마철
be over 끝나다
pleased 기쁜
present 선물
pollution 오염
serious 심각한
future 미래

Answers p. 14

Study Date: ____ / ____

04 부정문과 의문문

① Joan / **is not** / a famous pianist.
=isn't
Joan은 / ~가 아니다 / 유명한 피아니스트

② **Are** / **you** / a police officer?
be동사 주어
~입니까 / 당신은 / 경찰관

- be동사의 부정형은 be동사 뒤에 not을 넣고, '~가 아니다'로 해석한다. 미래시제의 경우 will 뒤에 not을 넣고, '~가 아닐 것이다'로 해석한다.
- be동사의 의문문은 'Be동사+주어 ~?'의 형태로 하고, '(주어)가 ~이니?'로 해석한다. 미래시제의 경우는 'Will+주어+be동사 ~?'의 형태로 하고, '(주어)가 ~할 것이니?'로 해석한다.

바로 예문 우리말 해석 완성하기

1 They are not friendly to my sister. 그들은 내 여동생에게 ________.

2 The movie was not so funny. 그 영화는 그렇게 ________.

3 Will they be there tomorrow? 그들은 내일 거기에 ________?

4 Was the teacher angry at me? 그 선생님은 나에게 ________?

바로 훈련 be동사의 부정문과 의문문에 유의하여 문장을 해석하시오.

5 I will not be late for a meeting again.

» ________

6 Are you in the bank at the moment?

» ________

7 Tony and Julie were not in Australia last year.

» ________

8 Was it stormy in Toronto last Saturday?

» ________

9 Will he be away in the afternoon tomorrow?

» ________

Words

famous 유명한
police officer 경찰관
friendly 친절한
tomorrow 내일
be angry at ~에게 화가 나다
meeting 회의, 모임
bank 은행
at the moment 지금
last year 작년
stormy 폭풍우가 치는
be away 부재중인

STEP 2 »» 독해력 Upgrade

구문 강화 훈련
1 글을 읽으며 주어에 동그라미, 동사에 밑줄 긋기
2 문장 끊어 읽으며 해석하기

3 **다음 글의 내용을 한 문장으로 요약할 때 (A), (B)에 들어갈 말로 바르게 짝지은 것은?**

Here is the weather for Western Europe for the next 24 hours. Let's begin in the north.

다음 24시간 동안의 서유럽 날씨 예보입니다.

I am afraid that spring is not here yet! There is going to be a lot of rain, and it may fall as snow in the Scottish mountains. So it **will be** chilly all day. Temperatures will be around 5 to 6 degrees but even lower in snowy areas. Let's move south now. There **will be** a lot of sunshine, and the temperature may be as high as 15 degrees in England and northern France. With light and warm winds coming from the south, it will feel very springlike.

→ It will be rainy or ______(A)______ in the north but will be ______(B)______ and bright in the south.

	(A)	(B)		(A)	(B)
①	snowy	rainy	②	snowy	warm
③	sunny	rainy	④	windy	warm
⑤	windy	snowy			

Words
weather 날씨 north 북쪽 afraid 유감스러운 yet 아직 chilly 쌀쌀한 temperature 온도
degree (온도 단위인) 도 lower 더 낮은 area 지역 south 남쪽 sunshine 햇빛 light 가벼운 springlike 봄과 같은

4 글의 흐름으로 보아, 주어진 문장이 들어가기에 가장 적절한 곳은?

But some people like to keep unusual pets.

If you have a chance to raise a pet, what animal will you choose? It **isn't** a surprise that dogs, a man's best friend, are the most beloved pets. (①) They are always friendly, cheerful, and entertaining. (②) For example, mini pigs, raccoons, and even robotic animals are popular pets. (③) Unlike a real pet, you don't need to feed robotic pets or bring them to the hospital. (④) Also, you don't have to worry about your dog eating your shoes. (⑤) In the future, they will possibly replace real pets and become our new best friends.

Words unusual 특이한 pet 애완동물 raise 키우다 choose 고르다 beloved 사랑받는 cheerful 쾌활한 entertaining 즐거움을 주는 raccoon 너구리 robotic 로봇의 unlike ~와 달리 feed 먹이를 주다 possibly 아마 replace 대신하다

네모 안에서 알맞은 표현을 고르시오.

1 Ms. Scott [was / is] at work now.

2 She [was / is] a middle school student two years ago.

3 The weather [is / will be] a little cold tomorrow.

4 [Will / Are] you be at the bus stop in five minutes?

5 The streets [are not / were not] wide at that time.

6 [Were they / They were] kind to everyone at the party?

7 [Was / Is] Mathew in fifth grade this year?

8 Daniel [was not / is not] angry with the news this morning.

구문 분석 노트를 완성하시오.

1 Kevin is very busy and tired today.
(주어 / 동사 / ❶ ______ / 수식어)

구문: ❷ 현재 시제 문장이다.
해석: Kevin은 오늘 매우 ❸ ______.

2 We were very happy at the news.
(주어 / 동사 / ❶ ______ / 수식어)

구문: ❷ ______ 시제 문장이다.
해석: 우리는 그 소식에 ❸ ______.

3 My father will be at home this afternoon.
(❶ ______ / 동사 / 보어 / 수식어)

구문: ❷ ______ 시제 문장이다.
해석: 우리 아버지는 오늘 오후에 집에 ❸ ______.

4 The weather is chilly and snowy.
(주어 / ❶ ______ / 보어)

구문: ❷ ______ 시제 문장이다.
해석: 날씨가 ❸ ______.

LINK WORKBOOK p.14

Unit 5

일반동사의 시제

일반동사는 be동사와 조동사를
제외한 모든 동사로, 주어의
동작이나 상태를 나타내요.

현재시제	He 그는	joins 참여한다	a cooking class 요리 수업을	on Saturdays. 매주 토요일마다
과거시제	Jenny Jenny는	broke 깼다	the dishes 그릇들을	this morning. 오늘 아침에
미래시제	I 나는	will feed 먹이를 줄 것이다	my birds 내 새들에게	in the evening. 저녁에
진행시제	The kid 그 아이는	is jumping 뛰고 있다	on the bed 침대 위에서	now. 지금

STEP 1 ≫ 구문 Start

01 현재시제

① He / **has** / breakfast / every day.
현재시제
그는 / 먹는다 / 아침 식사를 / 매일

② Janet / **doesn't use** / plastic straws.
doesn't+동사원형
Janet은 / 사용하지 않는다 / 플라스틱 빨대를

- 현재시제는 현재의 동작이나 반복적인 습관, 상태, 일반적인 사실 등을 나타내며, '~한다'로 해석한다.
- 부정형은 'don't/doesn't+동사원형'의 형태로, '~하지 않다'로 해석한다.
- 의문문은 'Do/Does+주어+동사원형 ~?'의 형태로, '(주어)가 ~하니?'로 해석한다.

바로 예문 우리말 해석 완성하기

1 I see a dentist every Monday. — 나는 매주 월요일마다 치과 진찰을 받는다.

2 The early bird catches the worm. — 일찍 일어나는 새가 벌레를 ________.

3 Peter doesn't raise cows on the farm. — Peter는 농장에서 소를 ________.

4 Does Cathy read a newspaper? — Cathy는 신문을 ________?

바로 훈련 시제를 나타내는 동사 또는 동사구에 밑줄을 긋고, 문장을 해석하시오.

5 My sister goes to the art gallery on Saturdays.

≫ ________________________________

6 Paul speaks Spanish very well.

≫ ________________________________

7 They don't like to waste their time.

≫ ________________________________

8 Do you believe in luck?

≫ ________________________________

9 The moon moves around the Earth.

≫ ________________________________

Words

breakfast 아침 식사
plastic straw 플라스틱 빨대
catch 잡다
worm 벌레
raise 기르다, 키우다
art gallery 미술관
Spanish 스페인어
waste 낭비하다
believe in ~를 믿다
luck 행운
move 움직이다

Answers p. 17

Study Date: ____ / ____

02 과거시제

① I / **bought** / postcards / last month.
과거시제(현재형 buy)
나는 / 샀다 / 엽서를 / 지난달에

② **Did** / Ted / **borrow** / your dictionary?
동사원형
했니 / Ted는 / 빌리다 / 네 사전을

- 과거시제는 과거의 동작이나 상태, 사실 등을 나타내며, '~했다'로 해석한다.
- 부정형은 'didn't+동사원형'의 형태로, '~하지 않았다'로 해석한다.
- 의문문은 'Did+주어+동사원형 ~?'의 형태로 '(주어)가 ~했니?'로 해석한다.

바로 예문 우리말 해석 완성하기

1 Michael woke up late this morning. — Michael은 오늘 아침에 늦게 ____________.

2 Did you lie on the grass today? — 너는 오늘 잔디밭에 ____________?

3 Billy and Jane ate lunch together yesterday. — Billy와 Jane은 어제 함께 점심을 ____________.

4 King Sejong invented Hangul in 1443. — 세종대왕은 한글을 1443년에 ____________.

바로 훈련 네모 안에서 어법에 맞는 표현을 고르고, 문장을 해석하시오.

5 My family [go / went] fishing last summer.

» ____

6 They [didn't wear / didn't wore] a seat belt in the car.

» ____

7 [Do / Did] you take a cable car last week?

» ____

8 Julia [moves / moved] to a new apartment two months ago.

» ____

9 Luckily, it [wasn't rain / didn't rain] all day long.

» ____

Words

postcard 엽서
borrow 빌리다
dictionary 사전
wake 깨다
lie 눕다
grass 잔디
invent 발명하다
seat belt 안전벨트
move 이사하다
luckily 다행히도
all day long 하루 종일

STEP 2 »» 독해력 Upgrade

구문 강화 훈련
1 글을 읽으며 주어에 동그라미, 동사에 밑줄 긋기
2 문장 끊어 읽으며 해석하기

1 다음 글의 제목으로 가장 적절한 것은?

Everybody yawns, from little babies to the elderly. Why do we yawn? You may think that

작은 아기들부터 노인들까지 모두 하품을 한다.

you yawn because you are bored, or you are tired. But that's not true. Yawning does not mean that you are bored or tired. You yawn when your brain **needs** it. Why? Some scientists found that people yawn when their brain temperature is high. Your brain is like a computer. It **works** well when it is cool enough. Yawning can help your brain cool down. So when you yawn, your brain will work better than before.

① Ways to Stop Yawning
② Ways of Studying Better
③ How to Feel Better
④ The Reason Why You Yawn
⑤ Healthy Food for Your Brain

Words
yawn 하품하다 the eldery 노인들 bored 지루한 true 사실인 mean 의미하다 brain 뇌 need 필요로 하다
find 발견하다 temperature 온도 work 작동하다 enough 충분히 cool down 식히다

2 밑줄 친 ①~⑤ 중에서 가리키는 대상이 나머지 넷과 다른 것은?

In 1905, 11-year-old Frank Epperson was making soda. He **mixed** soda water powder and water. Then stirred ① it with a stick. But by mistake, he left it out all night. It was very cold. The next day he found his ② soda frozen. The stick was still in it! Yes, ③ it was the world's first ice pop. But he didn't know that he **invented** ④ a new snack. Eighteen years later, he remembered his ⑤ invention. And he started making and selling "Eppsicle" ice pop. Later, his kids used the name "Popsicle." Ever since then, people around the world have enjoyed popsicles.

* popsicle 막대 아이스크림

Words
soda 소다수, 탄산 음료 mix 섞다 powder 가루 stir 젓다 stick 막대 by mistake 실수로 leave 그대로 두다 frozen 언, 냉동된 still 여전히 ice pop 막대 아이스크림 remember 기억하다 sell 팔다 ever since ~이후로 계속

STEP 1 ≫ 구문 Start

03 미래시제

① I / **will save** / energy / from now on.
will + 동사원형
나는 / 절약할 것이다 / 에너지를 / 지금부터

② He / **will not join** / the drama club.
미래시제 부정형
그는 / 가입하지 않을 것이다 / 연극부에

- 미래시제는 미래에 일어날 동작이나 상태, 계획을 나타낸다. 일반동사 앞에 will을 넣어 '~할 것이다'로 해석한다.
- 부정형은 'will not+동사원형'의 형태로, '~하지 않을 것이다'로 해석한다.
- 의문문은 'Will+주어+동사원형 ~?'의 형태로, '(주어)는 ~할 것이니?'로 해석한다.

바로 예문 우리말 해석 완성하기

1 They will leave here an hour later. 그들은 한 시간 뒤에 여기를 떠날 것이다.

2 Will she drive a car today? 그녀는 오늘 차를 ________?

3 I will not take a trip this year. 나는 올해 여행을 ________.

4 The human will go to the Mars someday. 인간은 언젠가 화성에 ________.

바로 훈련 Will의 위치로 알맞은 곳을 고르고, 문장을 해석하시오.

5 The supermarket ① near my house ② close ③ soon.

≫ ________

6 Betty ① not ② do ③ the dishes after dinner.

≫ ________

7 ① you ② stay ③ at the hotel during the holidays?

≫ ________

8 ① My uncle ② go on ③ a business trip to Germany.

≫ ________

9 ① Janet ② make a plan ③ for next month?

≫ ________

Words

from now on 지금부터
join 가입하다
leave 떠나다
take a trip 여행하다
Mars 화성
someday 언젠가
close 닫다
do the dishes 설거지를 하다
holiday 휴가
business trip 출장
make a plan 계획을 세우다

Answers p. 18

Study Date: ____ / ____

04 진행시제

① They / **are talking** / about the weather.
현재진행
그들은 / 말하고 있다 / 날씨에 대해

② He / **was fixing** / a car / yesterday.
과거진행
그는 / 고치고 있었다 / 차를 / 어제

- 'am/are/is+동사원형-ing' 형태의 현재진행형은 현재에 진행 중인 일을 나타내고, '~하고 있다'로 해석한다.
- 'was/were+동사원형-ing' 형태의 과거진행형은 과거의 특정한 때에 진행 중인 일을 나타내고, '~하고 있었다'로 해석한다.
- 'will be+동사원형-ing' 형태의 미래진행형은 미래의 특정한 때에 진행 중일 일을 나타내고, '~하고 있을 것이다'로 해석한다.

바로 예문 우리말 해석 완성하기

1 I will be going hiking on Sunday morning — 나는 일요일 아침에 하이킹하러 ____________.
2 Tina was not calling his name at that time. — Tina는 그때 그의 이름을 ____________.
3 Is your sister making apple pies now? — 네 여동생은 지금 사과 파이를 ____________?
4 Will you be waiting for the train at ten tonight? — 너는 오늘 밤 10시에 기차를 ____________?

바로 훈련 시제를 나타내는 동사구에 밑줄을 긋고, 문장을 해석하시오.

5 He will be ordering some food at twelve today.
» ____________________

6 My grandmother is not growing rice anymore.
» ____________________

7 Was Judy taking a walk with her dog this morning?
» ____________________

8 They are building a shopping mall now.
» ____________________

9 Isaac will not be riding a skateboard tomorrow afternoon.
» ____________________

Words
fix 고치다
go hiking 하이킹하러 가다
call 부르다
wait for ~을 기다리다
order 주문하다
grow 재배하다
rice 벼
take a walk 산책하다
build (건물 등을) 짓다

✔ 구문 강화 훈련
1 글을 읽으며 주어에 동그라미, 동사에 밑줄 긋기
2 문장 끊어 읽으며 해석하기

3 밑줄 친 ⓐ They가 가리키는 것이 아닌 것은?

What **will** you **do** if you get lost in a desert without water? Surely, you **won't live** for just

당신이 사막에서 물이 없이 길을 잃었다면 무엇을 할 것인가?

a few days. So, first of all, you have to look for water to drink. But deserts are very dry with

no lakes or rivers. Where can you find water? One answer is to follow wildlife. Animals

mean water. Listen for birds singing and watch the sky for flying birds or bees. Or look for

animal tracks going downhill. ⓐ They **will lead** you to water. Or you can get water from a

cactus. But you should be very careful because some kinds are poisonous.

* cactus 선인장 ** poisonous 독이 있는

① Look for animal tracks
② Follow wildlife
③ Find flying bees
④ Listen for birds singing
⑤ Find a cactus

Words
get lost 길을 잃다 desert 사막 without ~ 없이 first of all 우선 dry 건조한 lake 호수 follow 따라가다
wildlife 야생 동물 mean 의미하다 track 자국, 자취 downhill 내리막길 lead 이끌다

4 밑줄 친 (A), (B)가 어법에 맞게 바르게 짝지은 것은?

I am a university student, who likes traveling every vacation. I enjoy visiting local markets and eating local foods while traveling. I also like to meet other people in strange places. Last month I met Melina from Spain while I (A) travel in Australia. We had a good time together and soon became good friends. Now she is back home, and I am here at school. I **am taking** a Spanish course and (B) save money to travel to Spain. This time next year I **will be walking** around with Melina in her hometown of Sevilla.

	(A)	(B)
①	was traveling	to save
②	was traveling	saving
③	is traveling	to save
④	is traveling	saving
⑤	will be traveling	to save

Words university 대학 travel 여행하다 vacation 방학 local 지역의, 현지의 market 시장 while ~하는 동안에 strange 낯선 course 수업, 강좌 save (돈을) 모으다 walk around 걸어 다니다 hometown 고향

STEP 3 »» 구문Master

네모 안에서 알맞은 표현을 고르시오.

1 Daniel got up / gets up at six every morning.

2 Will / Did your brother water the flower yesterday?

3 I will make / made a plan for the winter vacation tomorrow.

4 Will you be / Are you waiting for the bus now?

5 Andy was taking / will be taking a walk tomorrow afternoon.

6 My mother grows / grew flowers in the garden last year.

7 Will / Did your father go on a business trip next weekend?

8 My family didn't went / didn't go camping last summer.

구문 분석 노트를 완성하시오.

1 Sue enjoys playing the violin on weekends.
주어 동사 ❶ ______ 수식어

구문: ❷ 현재 시제 문장이다.
해석: Sue는 주말마다 ❸ ______.

2 We will join the reading club in summer.
주어 동사 목적어 ❶ ______

구문: ❷ ______ 시제 문장이다.
해석: 우리는 여름에 독서 동아리에 ❸ ______.

3 Ryan borrowed some books from his friend.
주어 동사 ❶ ______ 수식어

구문: ❷ ______ 시제 문장이다.
해석: Ryan은 그의 친구에게 ❸ ______.

4 I was kicking the ball at that time.
주어 ❶ ______ 목적어 수식어

구문: ❷ ______ 시제 문장이다.
해석: 나는 그때 ❸ ______.

LINK WORKBOOK p.18

Unit 6

조동사

조동사는 동사 앞에 놓여
동사에 특정한 의미를 더해 주는
말이에요.

can	I	can	write	my name	with my left hand.
	나는	~할 수 있다	쓰다	내 이름을	내 왼손으로

will	Jake	will	visit	China	this summer vacation.
	Jake는	~할 것이다	방문하다	중국을	이번 여름 방학에

may	May	I	sit	on the bench?
	~해도 될까요	제가	앉다	벤치에

must have to should	You	must	return	the books	by Friday.
	너는	~해야 한다	반납하다	그 책들을	금요일까지

STEP 1 ≫ 구문 Start

01 can

① I / can / make / tomato risotto.
(can = am able to; can: 조동사, make: 동사원형)
나는 / ~할 수 있다 / 만들다 / 토마토 리소토를

② Can / you / open / the windows?
(Can: 조동사, you: 주어, open: 동사원형)
~해 줄 수 있니 / 너는 / 열다 / 창문을

- can은 '~할 수 있다(가능), ~해도 된다(허락), ~해 줄 수 있나요?(요청)'로 해석한다.
- 가능을 나타낼 때는 can을 be able to로 바꿔 쓸 수 있다.
- can의 부정형은 cannot[can't]이고, 의문문은 'Can+주어+동사원형 ~?'의 형태로 쓴다.

바로 예문 영어와 우리말에서 조동사 찾기

1 Can you help me with my homework? — 내 숙제를 도와줄 수 있니? 〈요청〉

2 Jimmy can tell an interesting story. — Jimmy는 흥미로운 이야기를 할 수 있다. 〈가능〉

3 Can I call you back? — 내가 네게 다시 전화해도 되니? 〈허락〉

4 Kate cannot jump rope. — Kate는 줄넘기를 할 수 없다. 〈가능〉

바로 훈련 can의 의미를 구분하고, 문장을 해석하시오.

5 James can write a letter in Chinese.

» ______________________________

6 Can I borrow your umbrella?

» ______________________________

7 I can't dance to the music.

» ______________________________

8 Can you take care of my cat today?

» ______________________________

9 You can paste this star on the paper.

» ______________________________

Words

interesting 흥미로운
jump rope 줄넘기를 하다
letter 편지
umbrella 우산
music 음악
take care of 돌보다
paste 풀로 붙이다

Answers p. 21

Study Date: ____ / ____

02 will

① Alex / will / meet / his friends / tomorrow.
(will = is going to; will: 조동사, meet: 동사원형)
Alex는 / ~할 것이다 / 만나다 / 그의 친구들을 / 내일

② She / won't / forgive / him.
(won't: will의 부정형, forgive: 동사원형)
그녀는 / ~하지 않을 것이다 / 용서하다 / 그를

- will은 '~할 것이다(미래), ~하겠다(의지), ~해 줄 수 있나요?(요청)'로 해석한다.
- 미래의 계획이나 예정된 일을 나타낼 때는 will을 be going to로 바꿔 쓸 수 있다.
- will의 부정형은 will not[won't]이고, 의문문은 'Will+주어+동사원형 ~?'의 형태로 쓴다.

바로 예문 영어와 우리말에서 조동사 찾기

1 Will you move your bag from the chair? 가방을 의자에서 치워줄 수 있나요? 〈요청〉

2 The sky will be clear tomorrow. 내일 하늘이 맑을 것이다. 〈미래〉

3 I will get a good grade this time. 나는 이번에 좋은 점수를 얻겠다. 〈의지〉

4 Will you give me some water? 물 좀 줄 수 있니? 〈요청〉

바로 훈련 네모 안에서 어법에 맞는 표현을 고르고, 문장을 해석하시오.

5 Lisa [will cleans up / will clean up] the kitchen today.

» ______________________________

6 [Will put you / Will you put] these books on the table?

» ______________________________

7 David [will finds / will find] some information about the spider.

» ______________________________

8 He [won't be / won't is] back in the office today.

» ______________________________

9 [Will you take / Will you takes] a taxi to the airport?

» ______________________________

Words

forgive 용서하다
clear 맑은
grade 점수
clean up 청소하다
put 놓다, 두다
information 정보
spider 거미
office 사무실
airport 공항

STEP 2 ≫ 독해력 Upgrade

✔ 구문 강화 훈련
1 글을 읽으며 주어에 동그라미, 동사에 밑줄 긋기
2 문장 끊어 읽으며 해석하기

1 돌고래에 관한 글의 내용으로 적절하지 않은 것은?

Dolphins come up to the surface to breathe. Then how do they breathe while they are

돌고래는 호흡하기 위해 수면 위로 올라온다.

sleeping? Surprisingly, only one half of their brain sleeps at a time. This means the other half is awake. So they **are able to** sleep in the water and swim to the surface to breathe at the same time. Dolphins swim slowly while they are sleeping. They rest on the seafloor and sometimes rise to the surface. They **cannot** go into a deep sleep, but they **can** sleep about 8 hours a day in this way.

① 한 번에 뇌의 절반만 잠을 잔다.
② 잠을 자다가 호흡하기 위해 수면 위로 올라온다.
③ 잠을 자고 있을 때는 천천히 헤엄을 친다.
④ 깊은 잠에 빠진다.
⑤ 하루에 약 8시간 정도 잠을 잔다.

Words
dolphin 돌고래　surface 수면　breathe 호흡하다　while ~하는 동안　half 절반　at a time 한 번에　awake 깨어 있는　at the same time 동시에　rest 쉬다　seafloor 해저　rise 올라가다　deep 깊은　hour 시간

2

(A), (B), (C)의 각 네모 안에서 문맥에 맞는 단어를 골라 바르게 짝지은 것은?

A lot of jobs will (A) [appear / disappear] in the near future. Scientists say that robots may take many jobs away. Telemarketer, cashier, taxi driver, fast food cook, and sports referee jobs are some examples. So people are (B) [happy / afraid] that they or their children **won't** be able to get a job. But don't worry too much. Many jobs will still be available. We **will** still need jobs such as nurses, consultants, and teachers. These jobs need close relationships with people. Also, artists and engineers are (C) [safe / unsafe] from robots because they need creativity to do their work.

* referee 심판 ** consultant 상담사

	(A)	(B)	(C)
①	appear	happy	unsafe
②	appear	afraid	safe
③	disappear	afraid	safe
④	disappear	afraid	unsafe
⑤	disappear	happy	safe

Words

job 직업 appear 나타나다 disappear 사라지다 may ~일지도 모른다 take away 빼앗아 버리다 afraid 두려워하는 available 쓸모 있는 such as ~와 같은 close 친밀한 relationship 인간관계 engineer 기술자 creativity 창의성

STEP 1 ≫ 구문 Start

03 may

① He / **may** / practice / basketball / hard.
(may: 조동사, practice: 동사원형)
그는 / ~일지도 모른다 / 연습하다 / 농구를 / 열심히

② **May** / I / park / the car / here?
(May: 조동사, I: 주어, park: 동사원형)
~해도 될까요 / 제가 / 주차하다 / 차를 / 여기에

- may는 '~일지도 모른다(추측), ~해도 좋다/된다(허락)'로 해석한다.
- may의 부정형은 may not이고, 의문문은 'May+주어+동사원형 ~?'의 형태로 쓴다.

바로 예문 **영어와 우리말에서 조동사 찾기**

1 She may go for a walk in the evening. 그녀는 저녁에 산책하러 갈지도 모른다. 〈추측〉

2 May I speak to Mr. Brown? Brown 씨와 통화해도 될까요? 〈허락〉

3 He may not remember my name. 그는 내 이름을 기억 못 할지도 모른다. 〈추측〉

4 May I come home late today? 제가 오늘 집에 늦게 들어가도 될까요? 〈허락〉

may의 의미를 구분하고, 문장을 해석하시오.

5 His favorite sport may be American football.

≫ ______________________________

6 May I burst the balloons on the wall?

≫ ______________________________

7 It may not snow in the afternoon.

≫ ______________________________

8 May I surf the Internet?

≫ ______________________________

9 Janet may not receive my gift.

≫ ______________________________

Words

practice 연습하다
park 주차하다
go for a walk 산책하러 가다
remember 기억하다
favorite 가장 좋아하는
burst 터뜨리다
balloon 풍선
surf 검색하다
receive 받다
gift 선물

Answers p. 22

Study Date: ____ / ____

04 must, have to, should

① She / must / follow / the rules.
(must = has to; must: 조동사, follow: 동사원형)
그녀는 / ~해야 한다 / 따르다 / 규칙을

② You / should / make / a study plan.
(should: 조동사, make: 동사원형)
너는 / ~하는 것이 좋다 / 세우다 / 학습 계획을

- must는 '~해야 한다(의무), ~임에 틀림없다(강한 추측)'로 해석하며, 의무를 나타낼 때는 have[has] to로 바꿔 쓸 수 있다.
- should는 '~해야 한다(의무), ~하는 것이 좋다(충고)'로 해석한다.
- 부정형인 must not과 should not[shouldn't]은 '~해서는 안 된다(금지)'로 해석하고, don't[doesn't] have to는 '~할 필요가 없다(불필요)'로 해석한다.

바로 예문 영어와 우리말에서 조동사 찾기

1 Must she show her ticket to you? 그녀는 당신에게 표를 보여 줘야 하나요? 〈의무〉

2 We should not waste our time. 우리는 시간을 낭비해서는 안 된다. 〈금지〉

3 The rumor must be true. 그 소문은 사실임에 틀림없다. 〈강한 추측〉

4 You should be careful on the icy road. 너는 빙판길에서 조심하는 것이 좋다. 〈충고〉

바로 훈련 괄호 안에 주어진 표현을 바르게 배열하고, 문장을 해석하시오.

5 You ____________ in summer. (fresh seafood / should / eat)

» ____________

6 My father ____________. (take medicine / must / regularly)

» ____________

7 I ____________. (don't / lose weight / have to)

» ____________

8 Helen ____________ by 8 p.m. (finish / has to / her work)

» ____________

9 He ____________ the exam. (be worried about / must)

» ____________

Words

rule 규칙
show 보여 주다
waste 낭비하다
rumor 소문
careful 조심하는
icy road 빙판길
seafood 해산물
take medicine 약을 먹다
lose weight 체중을 줄이다
by ~까지
be worried about ~에 대해 걱정하다

STEP 2 »» 독해력 Upgrade

구문 강화 훈련
1 글을 읽으며 주어에 동그라미, 동사에 밑줄 긋기
2 문장 끊어 읽으며 해석하기

3 다음 글에서 꿀이 상하지 않는 이유로 적절한 것은?

Honey **may** be one of the most mysterious foods; it never goes bad. Some people found

꿀은 가장 신비한 음식 중 하나일지도 모른다.

2,000-year-old jars of honey in Egyptian pyramids, and the honey in them still tasted

delicious! Since honey is a low-moisture food, bacteria cannot grow easily in it and it doesn't

go bad. So you don't have to keep your honey in the refrigerator. You **may** just keep it in a

cool place away from direct sunlight. Also, the "Best Before Date" on honey buckets **may**

not be very important at all because your honey will never go bad.

* low-moisture 수분이 적은 ** best before date 유통 기한

① 밀봉된 상태로 보관되기 때문에
② 시원한 장소에서 보관되기 때문에
③ 부패 방지 효소가 들어 있기 때문에
④ 꿀은 수분이 적은 음식이기 때문에
⑤ 박테리아의 활동이 활발하기 때문에

Words
honey 꿀 mysterious 신비한 go bad 상하다 jar 단지 pyramid 피라미드 delicious 맛있는 since ~ 때문에
bacteria 박테리아 keep 보관하다 refrigerator 냉장고 direct sunlight 직사광선 bucket 통

4 밑줄 친 (A), (B)와 바꾸어 쓸 수 있는 표현끼리 바르게 짝지은 것은?

Ramadan is the ninth month of the Islamic calendar. During this month, Muslims (A) **must not** eat or drink while the sun is up. However, they (B) **may** eat before sunrise and directly after sunset. The morning meal is known as the *suhoor*, while the nighttime meal is called the *iftar*. Almost all Muslims try to give up bad habits during Ramadan. And some try to become better Muslims by praying more or reading the Qur'an. After a month, Ramadan ends with the feast of *Eid Al-Fitr*. Friends and families get together for large meals. Some cities have large celebrations.

* Muslim 이슬람교도 ** feast 축제

	(A)	(B)
①	should not	can
②	should not	will
③	don't have to	will
④	don't have to	can
⑤	don't have to	won't

Words

calendar 달력 during ~ 동안 sunrise 일출 directly 바로, 곧장 sunset 일몰 be known as ~로 알려져 있다 almost 거의 give up 포기하다, 버리다 pray 기도하다 get together 모이다 celebration 경축 행사

Answers p. 24

Study Date: /

네모 안에서 알맞은 것을 고르시오.

1 Must / Can you dance to the music? 〈가능〉

2 The summer vacation should / will finish in three weeks. 〈미래〉

3 Will / May I drink some water on the desk? 〈허락〉

4 You may / must follow the school rules. 〈의무〉

5 We cannot / should eat fresh meat in summer. 〈충고〉

6 Joan has to / is able to go home early today. 〈의무〉

7 Drivers will not / must not break the traffic laws. 〈금지〉

8 Can / Will I take pictures in the museum? 〈허락〉

구문 분석 노트를 완성하시오.

1 Can I put my bag on the chair? 조동사 주어 동사 ❶ ____ 수식어	구문: can은 ❷ 허락 의 의미를 나타낸다. 해석: 제가 의자 위에 가방을 ❸ ____ ?
2 Judy will be fourteen next year. 주어 조동사 동사 ❶ ____ 수식어	구문: will은 ❷ ____ 의 의미를 나타낸다. 해석: Judy는 내년에 14살이 ❸ ____ .
3 The news may be true. ❶ ____ 조동사 동사 보어	구문: may는 ❷ ____ 의 의미를 나타낸다. 해석: 그 소식은 ❸ ____ .
4 We must wear a seat belt in the car. 주어 조동사 동사 ❶ ____ 수식어	구문: must는 ❷ ____ 의 의미를 나타낸다. 해석: 우리는 차에서 안전벨트를 ❸ ____ .

LINK > WORKBOOK p. 22

Unit 7

명사를 수식하는 어구

명사를 수식하는 어구는
명사의 앞이나 뒤에 위치해
명사의 의미를 풍부하게
표현해 줘요.

형용사	She 그녀는	can make 만들 수 있다	delicious soup. 맛있는 수프를	
현재분사 과거분사	He 그는	watched 보았다	an exciting football match. 흥미진진한 축구 경기를	
to부정사의 형용사적 용법	I 나는	have 가지고 있다	a lot of friends 많은 친구들을	to help me. 나를 도와줄
전치사구	The photos 그 사진들은	on the table 탁자 위의	are ~이다	my grandmother's. 우리 할머니 것

STEP 1 ⋙ 구문 Start

01 형용사

① Sarah / has / a **wonderful** voice.

Sarah는 / 가지고 있다 / 멋진 목소리를

② He / is looking for / something **fun**.

그는 / 찾고 있다 / 재미있는 무언가를

- 형용사는 사람이나 사물의 상태, 성질, 수량 등을 나타내는 말로, 주로 명사 앞에서 명사를 수식하며 '~한/~인'으로 해석한다.
- -thing, -body, -one으로 끝나는 대명사는 형용사가 뒤에서 수식한다.

바로 예문 영어와 우리말에서 형용사 찾기

1 Cindy has many friends. — Cindy는 많은 친구들을 가지고 있다.

2 There are old shoes in the box. — 상자에 오래된 신발이 있다.

3 We heard a bad news this morning. — 우리는 오늘 아침에 나쁜 소식을 들었다.

4 I want to buy something cute for my little sister. — 나는 내 여동생을 위해 귀여운 무언가를 사고 싶다.

바로 훈련 형용사에 밑줄을 긋고, 문장을 해석하시오.

5 There is someone strange at the door.

≫ ______________________________

6 Einstein is a great person in science history.

≫ ______________________________

7 Visiting the post office first is a good idea.

≫ ______________________________

8 The story gives us an important lesson.

≫ ______________________________

9 We need somebody kind and honest.

≫ ______________________________

Words

wonderful 멋진
something 무언가
hear 듣다
strange 낯선
great 훌륭한
history 역사
post office 우체국
important 중요한
lesson 교훈
need 필요로 하다
honest 정직한

Answers p. 25

Study Date: ______ / ______

02 현재분사, 과거분사

① Look at / the **flying** kite / in the sky.

보라 / 날고 있는 연을 / 하늘에

② The **excited** people / shouted / loudly.

그 흥분한 사람들은 / 소리를 쳤다 / 크게

- 현재분사(동사원형+-ing)와 과거분사(동사원형+-ed)는 형용사처럼 명사의 앞에서 명사를 수식한다.
- 현재분사는 능동, 진행의 의미를 나타내며 '~하는/~하고 있는'으로 해석한다.
- 과거분사는 수동, 완료의 의미를 나타내며 '~된/~해진'으로 해석한다.

바로 예문 영어와 우리말에서 분사 찾기

1 The tired man wants to take a break. 그 지친 남자는 휴식을 취하기를 원한다.

2 He met a crying kid on the street. 그는 거리에서 울고 있는 아이를 만났다.

3 I found fallen leaves in the yard. 나는 마당에서 떨어진 낙엽들을 발견했다.

4 The family got out of the burning house. 그 가족은 불타고 있는 집에서 나왔다.

바로 훈련 괄호 안에 주어진 동사를 알맞은 형태로 바꾸어 빈칸에 쓰고, 문장을 해석하시오.

5 She told me the ________ news in the morning. (surprise)

» ________________________________

6 The ________ boy on the stage is my cousin. (dance)

» ________________________________

7 They are greeting the ________ guests with a smile. (invite)

» ________________________________

8 When will you fix the ________ windows? (break)

» ________________________________

9 Watching the ________ sun is a great experience. (rise)

» ________________________________

Words

take a break 휴식을 취하다
fallen (fall의 과거분사) 떨어진
yard 마당
get out of ~에서 나오다
burn (불에) 타다
surprise 놀라게 하다
stage 무대
cousin 사촌
greet 맞이하다
guest 손님
invite 초대하다
fix 수리하다
experience 경험
rise (해 · 달이) 뜨다

STEP 2 ≫ 독해력 Upgrade

구문 강화 훈련
1 글을 읽으며 주어에 동그라미, 동사에 밑줄 긋기
2 문장 끊어 읽으며 해석하기

1 다음 글의 제목으로 가장 적절한 것은?

When Galen was just eight years old, he saved **many** children's lives. Galen and twenty

Galen이 겨우 8살이었을 때,

other pupils were going home on the school bus. As the bus was traveling down a country road, the bus driver became very sick. He wasn't able to drive the bus. It was heading toward a cliff. Something had to be done to stop the bus. Galen jumped onto the driver's lap. He changed the direction of the bus away from the cliff and drove into a field. Everyone was saved, and no one was hurt. The next day the bus driver was feeling better, and Galen was called a **little** superman.

① How to Enjoy Driving
② The Danger of Bus Driving
③ A Little Big Hero
④ How to Drive a Bus
⑤ The Importance of Health Care

Words save 구하다 lives (life의 복수형) 목숨 pupil 학생 travel 이동하다 head toward ~을 향해 가다 cliff 절벽 lap 무릎 direction 방향 away from ~에서 벗어난 drive 운전하다

2 마사이족에 관한 글의 내용으로 적절하지 않은 것은?

The Masai live between Kenya and Tanzania. Their houses are made from sticks, grass, and mud. They move their homes from time to time to follow their cattle because the animals are very important to the Masai. They think of the cattle as family members. The family names the cattle and knows each animal's voice. All the Masai wear large hoops in their ears, and they speak their own language. All the women and children have a **shaved** head.

① 케냐와 탄자니아 사이에 살고 있다.
② 가축들을 따라 거주지를 옮기기도 한다.
③ 가축들을 자신의 가족으로 생각한다.
④ 모든 가축에게 이름을 지어 준다.
⑤ 여자와 어린아이만 머리를 기를 수 있다.

Words
stick 나뭇가지 mud 진흙 from time to time 때때로 follow 따라가다 cattle 소, 가축 think of A as B A를 B로 생각하다 name 이름을 지어 주다 voice 목소리 hoop 고리 language 언어 shave 면도하다

03 to부정사의 형용사적 용법

① He / doesn't have / money / **to buy a car**.

그는 / 가지고 있지 않다 / 돈을 / 차를 살

② I / need / someone / **to talk with**.

나는 / 필요하다 / 누군가가 / 이야기할

- to부정사(to + 동사원형)는 명사 뒤에서 명사를 수식하며, '~할/~하는'으로 해석한다.
- -thing, -body, -one으로 끝나는 대명사는 뒤에서 수식한다.
- 수식하는 명사가 전치사의 목적어일 때, to부정사 뒤에 전치사를 쓴다.

바로 예문 영어와 우리말에서 명사를 수식하는 to부정사구 찾기

1 Do you want something to drink? — 너는 마실 것을 좀 원하니?

2 We need some chairs to sit on. — 우리는 앉을 의자가 필요하다.

3 She doesn't have much time to relax. — 그녀는 쉴 시간이 많이 없다.

4 I am looking for a friend to play with. — 나는 함께 놀 친구를 찾고 있다.

바로 훈련 명사를 수식하는 to부정사구에 밑줄을 긋고, 문장을 해석하시오.

5 He had a magazine to read.

» ______________________________

6 We found a new apartment to live in.

» ______________________________

7 Brian has math homework to finish by tomorrow.

» ______________________________

8 Can I have a piece of paper to write on?

» ______________________________

9 There are lots of things to pack in a suitcase.

» ______________________________

Words

someone 누군가
talk with ~와 이야기하다
relax 쉬다
look for ~을 찾다
magazine 잡지
live in ~에 살다
a piece of 한 장의
lots of 많은
pack (짐을) 싸다
suitcase 여행 가방

Answers p. 26

Study Date: ______ / ______

04 전치사구

① The boy / **with his dog** / is / my little brother.

그 소년은 / 자신의 강아지와 함께 있는 / ~이다 / 내 남동생

② The new belt / is / a present / **for my uncle**.

그 새 허리띠는 / ~이다 / 선물 / 우리 삼촌을 위한

- 전치사구는 '전치사+명사(구)'의 형태로 명사 뒤에서 명사를 수식한다.
- 전치사에는 on(~위에), in(~안에), at(~에), of(~의), from(~로부터, ~에게서), for(~을 위한), with(~을 가진, ~와 함께) 등이 있다.

바로 예문 영어와 우리말에서 전치사구 찾기

1 I love Van Gogh's painting on the wall. 나는 벽에 걸린 반 고흐의 그림이 무척 마음에 든다.

2 The fish in the pond are colorful. 연못에 있는 물고기는 색이 화려하다.

3 Steven is a member of the book club. Steven은 독서 동아리의 회원이다.

4 The man at the bus stop helped me. 버스 정류장에 있는 그 남자가 나를 도왔다.

바로 훈련 네모 안에서 알맞은 전치사를 고르고, 문장을 해석하시오.

5 Do you know the girl with / in long hair?

» ____________________

6 She received a letter on / from her daughter.

» ____________________

7 The children at / of the playground look excited.

» ____________________

8 All the teachers on / of my school are very friendly.

» ____________________

9 Peter lives in / for the house between two trees.

» ____________________

Words

present 선물
painting 그림
pond 연못
colorful 색이 화려한
daughter 딸
playground 운동장
between ~ 사이에

✔ 구문 강화 훈련
1 글을 읽으며 주어에 동그라미, 동사에 밑줄 긋기
2 문장 끊어 읽으며 해석하기

3 글의 흐름으로 보아, 주어진 문장이 들어가기에 가장 적절한 곳은?

They clean the windows and sweep the sidewalk or floor of the shop.

Mother's Day is an important day. It is a day when children can show their mothers how

어머니의 날은 중요한 날이다.

much they love them. (①) Many children give flowers to their mothers. This makes their mothers very happy. (②) But most of the people who live near Mrs. Johnson's flower shop are poor. The children don't have any money **to buy flowers**. (③) Mrs. Johnson wants to help them. The children work one hour for Mrs. Johnson. (④) Then Mrs. Johnson gives each of them flowers **to take home** for their mothers. (⑤) All the mothers who live near Mrs. Johnson's flower shop have a wonderful Mother's Day.

Words sweep 쓸다 sidewalk 인도, 보도 floor 바닥 show A B A에게 B를 보여 주다 near ~ 근처에 flower shop 꽃 가게 each 각각, 각자

4 밑줄 친 ①~⑤ 중에서 가리키는 대상이 나머지 넷과 다른 것은?

Many people have probably experienced losing their cell phones. If they are lucky, their phone will be returned to them. But if they aren't, it will be gone forever. Here is an interesting story **about a lucky person**. One day ① a man lost his phone at the beach. ② He thought he would never see it again. But a week later his friend got a call. It was from ③ the man's lost phone. ④ The person who called was a fisherman. He said, "⑤ Your friend must be a very lucky person. His phone was inside the belly **of a fish**. Surprisingly, it still works."

Words probably 아마도 experience 경험하다 lose 잃어버리다 lucky 운이 좋은 return 돌아오다 forever 영원히 person 사람 get a call 전화를 받다 fisherman 어부 inside ~ 속에 belly 배 surprisingly 놀랍게도 work 작동하다

Answers p. 28

Study Date: ____ / ____

네모 안에서 알맞은 것을 고르시오.

1 Ski is an excited / exciting sport.

2 Can I eat fried / frying rice on the table?

3 Will you give me some time to think / think ?

4 The girl of / with her cat is my little sister.

5 Julia opened the box to / from her father.

6 The students on / in the classroom look sleepy.

7 Don't forget to bring a pencil to write with / with to write .

8 I walked on the fallen / falling leaves from the tree.

구문 분석 노트를 완성하시오.

1 My father is fixing the broken chair. ❶ ____	구문: broken은 ❷ chair 를 수식한다. 해석: 우리 아버지는 ❸ ____ 를 고치고 계신다.
2 He is looking for something interesting. ❶ ____	구문: interesting은 ❷ ____ 을 수식한다. 해석: 그는 ❸ ____ 를 찾고 있다.
3 Mike bought some books to read. ❶ ____	구문: to read는 some books를 수식하는 ❷ ____ 의 to부정사이다. 해석: Mike는 ❸ ____ 을 샀다.
4 The woman with black hair is my aunt. ❶ ____	구문: with black hair는 ❷ ____ 을 수식한다. 해석: ❸ ____ 그 여자는 우리 이모이다.

LINK WORKBOOK p. 26

Unit 8

부사 역할을 하는 어구

부사는 동사, 형용사나 다른 부사,
또는 문장 전체를 수식해요.

부사	She 그녀는	will leave 떠날 것이다	the city 그 도시를	early. 일찍	
빈도부사	Adam Adam은	always 항상	arrives 도착한다	at work 직장에	on time. 정시에
to부정사의 부사적 용법	I 나는	went 갔다	to the park 공원에	to ride a bike. 자전거를 타기 위해	
전치사구	The boy 그 소년은	put 두었다	a bag 가방을	under the tree. 나무 아래에	

STEP 1 >>> 구문 Start

01 부사

① Kane / studied / **hard** / for the test.
Kane은 / 공부했다 / 열심히 / 시험을 위해

② I / am / **really** / sorry / about my mistake.
나는 / ~이다 / 정말 / 미안한 / 내 실수에 대해

- 부사는 동사, 형용사, 다른 부사 또는 문장 전체를 수식한다.
- 주로 동사의 뒤에 쓰이며, 형용사나 다른 부사, 문장을 수식할 때는 수식하는 말 앞에 위치한다.
- 부사는 '형용사+-ly'를 붙인 형태가 많으며, 형용사와 형태가 같은 부사도 있다.

바로 예문 영어와 우리말에서 부사 찾기

1 Does Jamie use chopsticks well? — Jamie는 젓가락을 잘 사용하니? 〈동사 수식〉

2 Sue was quite ill this morning. — Sue는 오늘 아침에 꽤 아팠다. 〈형용사 수식〉

3 He went down the ladder very carefully. — 그는 사다리를 매우 조심히 내려왔다. 〈다른 부사 수식〉

4 Happily, our names are on the list. — 행복하게도 우리의 이름이 명단에 있다. 〈문장 전체 수식〉

바로 훈련 밑줄 친 부사가 수식하는 말에 밑줄을 긋고, 문장을 해석하시오.

5 It is raining heavily all day long.

» ______________________________

6 How do you speak French so well?

» ______________________________

7 The train will leave the station slowly.

» ______________________________

8 The restaurant is very busy at lunchtime.

» ______________________________

9 Unluckily, the boy lost his wallet on the subway.

» ______________________________

Words

hard 열심히
mistake 실수
chopsticks 젓가락
quite 꽤
ill 아픈
ladder 사다리
heavily 세차게
so 그렇게
leave 떠나다
lunchtime 점심시간
unluckily 불행히도
lose 잃어버리다
wallet 지갑
subway 지하철

Answers p. 29

Study Date: ____ / ____

02 빈도부사

① Fred / **always** / joins / the speech contest.
(always: 빈도부사, joins: 일반동사)
Fred는 / 항상 / 참여한다 / 말하기 대회에

② I / am / **sometimes** / forgetful.
(am: be동사, sometimes: 빈도부사)
나는 / ~이다 / 가끔 / 잘 잊어버리는

- 빈도부사는 어떤 일이 '얼마나 자주' 일어나는지를 나타내는 부사이며, 동사를 수식한다.
- always(항상), usually(보통), often(종종), sometimes(가끔), hardly(거의 ~않다), never(전혀/절대 ~않다) 등이 있다.
- 주로 일반동사의 앞에, 그리고 be동사와 조동사의 뒤에 위치한다.

바로 예문 영어와 우리말에서 빈도부사 찾기

1 Mr. Brown is usually in the garden on Sundays. Brown 씨는 일요일마다 보통 정원에 있다.

2 I will never tell a lie to my friends. 나는 절대 내 친구들에게 거짓말을 하지 않을 것이다.

3 Julia often bakes chocolate chip cookies. Julia는 종종 초콜릿 칩 쿠키를 굽는다.

4 They hardly have time to talk each other. 그들은 서로 이야기할 시간이 거의 없다.

바로 훈련 네모 안에서 알맞은 빈도부사의 위치를 고르고, 문장을 해석하시오.

5 She always is / is always on time to school.

» ______________________________

6 My mother hardly knocks / knocks hardly on the door.

» ______________________________

7 Tommy gives usually / usually gives a quick reply.

» ______________________________

8 I will never / never will miss the chance again.

» ______________________________

9 A cup of tea sometimes can / can sometimes relieve your stress.

» ______________________________

Words

speech 말하기, 웅변
forgetful 잘 잊어버리는
tell a lie 거짓말하다
bake (빵 등을) 굽다
on time 정시에
knock 두드리다
reply 회신, 답장
chance 기회
relieve 덜어 주다, 줄이다

STEP 2 ≫ 독해력 Upgrade

구문 강화 훈련
1 글을 읽으며 주어에 동그라미, 동사에 밑줄 긋기
2 문장 끊어 읽으며 해석하기

1

홍수 발생 시 취해야 할 행동에 관한 글의 내용으로 적절하지 않은 것은?

Floods happen during heavy rains, when rivers overflow, when snow melts too **fast**, or

홍수는 폭우가 내리는 동안이나,

when dams break. They are the most common natural weather event. Floods can occur with just a few centimeters of water, or they can hit the whole town. When floods happen, listen to the news **carefully** and follow the directions of authorities and safety officials. If there is any possibility of a flood, move **immediately** to higher ground. And help your family move important items to an upper floor. Never walk through moving water. Even 15 centimeters of water can make you fall down.

* authorities 당국 ** safety official 안전 담당 공무원

① 뉴스를 주의 깊게 듣는다.
② 당국의 지시를 따른다.
③ 높은 곳으로 즉시 이동한다.
④ 중요한 물건은 위층으로 옮긴다.
⑤ 흐르는 물을 빠르게 통과하여 건넌다.

Words
flood 홍수 heavy rain 폭우 overflow 넘치다 melt 녹다 common 흔한 natural 자연의 occur 발생하다
hit (자연재해 등이) ~을 덮치다 direction 지시 immediately 즉시 ground 지면, 땅 upper floor 위층

2 밑줄 친 traveling hospital의 목적으로 가장 적절한 것은?

When pets get sick, you can **usually** take them to an animal doctor or an animal hospital. **Sometimes** you will not be able to take your pets to the hospital because they are too sick or hurt. That is why Dr. Luke started his traveling hospital. He drives his hospital—it is actually a van—to the home of the pet that needs help. The van has an operating table, medicines, and almost everything else that is needed to treat animals. Dr. Luke has run the hospital for over ten years. He has saved the lives of many pets. Dr. Luke says that there will soon be many more traveling hospitals to help sick or hurt animals.

① 동물 병원에 없는 의약품을 제공하기 위해
② 더 저렴한 비용으로 동물들을 치료해 주기 위해
③ 많이 아파서 병원으로 못 옮기는 동물의 치료를 위해
④ 동물들에게 쉴 수 있는 공간을 마련해 주기 위해
⑤ 아픈 동물을 재빠르게 병원으로 데려가기 위해

Words
pet 애완동물 get sick 병에 걸리다 actually 실제로는 van 밴(소형 승합차) operate 수술하다 medicine 의약품 treat 치료하다

STEP 1 »» 구문 Start

03 to부정사의 부사적 용법

① He / turned on / the TV / **to watch the news**.
(= in order to) (to부정사구(목적))
그는 / 켰다 / TV를 / 뉴스를 보기 위해

② I / am / happy / **to spend time** / with you.
(to부정사구(감정의 원인))
나는 / ~이다 / 행복한 / 시간을 보내서 / 너와 함께

- to부정사(to + 동사원형)는 동사나 형용사, 다른 부사를 수식하여 부사처럼 쓰인다.
- 의미에 따라 '~하기 위해서(목적), ~해서/하니(감정의 원인), ~해서 …하다(결과), ~하다니(판단의 근거)'로 해석한다.

바로 예문 영어와 우리말에서 부사 역할을 하는 to부정사구 찾기

1 Jake got up early to take a boat. — Jake는 보트를 타기 위해 일찍 일어났다. 〈목적〉

2 She was upset to fail the exam. — 그녀는 시험에 떨어져서 속상했다. 〈감정의 원인〉

3 The actor lived to be 60 years old. — 그 배우는 60살까지 살았다. 〈결과〉

4 Anne must be smart to solve the situation. — 그 상황을 해결하다니 Anne은 똑똑한 게 틀림없다. 〈판단의 근거〉

바로 훈련 부사 역할을 하는 to부정사구에 밑줄을 긋고, 문장을 해석하시오.

5 Emily was glad to invite everyone in the class.

» ______________________

6 The little boy grew up to be the president.

» ______________________

7 She must be brave to talk to a foreigner.

» ______________________

8 Don't put too much salt in the food to stay healthy.

» ______________________

9 The firefighter ran into the building to save a man.

» ______________________

Words

turn on ~을 켜다
upset 속상한
fail (시험에) 떨어지다
situation 상황
grow up 자라다, 성장하다
president 대통령
brave 용감한
foreigner 외국인
stay healthy 건강을 유지하다
firefighter 소방관
save 구하다

04 전치사구

① Mr. White / climbs / the mountain / **on Sundays**.
전치사구(시간)

White 씨는 / 오른다 / 산을 / 일요일마다

② We / will have / big fireworks / **at the park**.
전치사구(장소)

우리는 / ~할 것이다 / 큰 불꽃놀이를 / 공원에서

- '전치사+명사(구)' 형태의 전치사구는 동사를 수식하는 부사 역할을 한다.
- 전치사에 따라 장소, 방향, 시간, 방법 등을 나타낸다.

바로 예문 영어와 우리말에서 전치사구 찾기

1 The dog is running around in the yard. 그 개는 마당에서 뛰어다니고 있다. 〈장소〉

2 Kelly took a walk along the river. Kelly는 그 강을 따라서 산책을 했다. 〈방향〉

3 Nick enjoyed water-skiing during the summer. Nick은 여름 동안 수상 스키를 즐겼다. 〈시간〉

4 My family went to Busan by train. 우리 가족은 기차를 타고 부산에 갔다. 〈방법〉

네모 안에서 알맞은 전치사를 고르고, 문장을 해석하시오.

5 Stella left her cell phone at / on home.

» ______________________________

6 Is there a drugstore near / with your school?

» ______________________________

7 Tony hid behind / after the curtain.

» ______________________________

8 Amy took a one day trip with / by bus to Sydney.

» ______________________________

9 My mother takes medicine for / in the morning.

» ______________________________

Words

climb 오르다
fireworks 불꽃놀이
yard 마당
along ~을 따라서
drugstore 약국
near 근처에
hide 숨다
behind ~ 뒤에
one day trip 당일 여행

STEP 2 ≫ 독해력 Upgrade

✔ 구문 강화 훈련
1 글을 읽으며 주어에 동그라미, 동사에 밑줄 긋기
2 문장 끊어 읽으며 해석하기

3 다음 글의 제목으로 가장 적절한 것은?

When you go to a tropical island, what should you be careful of? You may ask yourself

당신이 열대 섬에 가면,

some questions right away. What if a snake gets into my bed? What if a shark bites my leg?

But what you really should be careful of is the coconuts! In fact, you are unlikely to get hurt

by snakes or sharks on tropical islands. But there are many coconut trees, and coconuts can

fall on your head! They can weigh up to 2 kilos because they are full of water. You may be

surprised **to know** that falling coconuts kill about 150 people each year. **To avoid an**

accident, you had better not sleep or rest under a coconut tree.

① Enjoy Coconuts on Tropical Islands

② The Danger of Snakes and Sharks

③ Be Careful of the Coconuts!

④ Why People Visit Tropical Islands

⑤ How to Grow a Coconut Tree

Words tropical 열대의 bite 물다 unlikely 가능성이 적은 weigh 무게가 ~ 나가다 up to ~까지 kill 목숨을 빼앗다 avoid 피하다 accident 사고 had better not ~하지 않는 것이 좋다

Answers p. 31
Study Date: ______ / ______

4

다음 글에서 전체 흐름과 관계 없는 문장은?

Have you ever heard someone say, "I have butterflies **in my stomach**"? How did butterflies get in the person's stomach? ① Well, those aren't really butterflies in there. ② "Butterflies in the stomach" is a way of expressing your nervous feelings. ③ A writer created it to express those feelings, and people have used it ever since. ④ To be a good writer, you should read and write as much as you can. ⑤ The next time you get those feelings **before a test or an important match**, just say to your friend, "I have butterflies in my stomach."

Words

someone 누군가 butterfly 나비 stomach 배, 위장 express 표현하다 nervous 긴장한 create 만들다
ever since 그 이후로 next time 다음번에 ~하게 되면 important 중요한 match 시합

Answers p. 32

Study Date: ____ / ____

네모 안에서 알맞은 것을 고르시오.

1 Ben [always is / is always] late for school.

2 My mother [hardly sends / sends hardly] a letter to me.

3 The little girl grew up [be / to be] a fashion model.

4 Kate bakes a cake [of / on] weekends.

5 Tom and I will go to the robot museum [on / by] bus.

6 Vicky raised her hand [to ask / ask] a question.

7 The cat jumped over the fence very [fast / fastly].

8 They [usually go / go usually] for a walk in the morning.

구문 분석 노트를 완성하시오.

1 I exercised very hard yesterday.
❶ ____

구문: very는 부사 ❷ hard 를 수식한다.
해석: 나는 어제 매우 ❸ ____ 운동했다.

2 Smith hardly makes mistakes on test.
❶ ____

구문: hardly는 ❷ ____ 앞에 온다.
해석: Smith는 시험에서 ❸ ____.

3 Kenny waited to buy a ticket.
❶ ____

구문: to buy a ticket은 ❷ ____ 를 수식한다.
해석: Kenny는 ❸ ____ 기다렸다.

4 He hit the nail with the hammer.
❶ ____

구문: with the hammer는 ❷ ____ 을 수식한다.
해석: 그는 ❸ ____ 못을 쳤다.

LINK WORKBOOK p. 30

Unit 9

여러 가지 연결 어구

등위접속사	Leo Leo는	brought 가져왔다	a map and magazine 지도와 잡지를	on the trip. 여행에
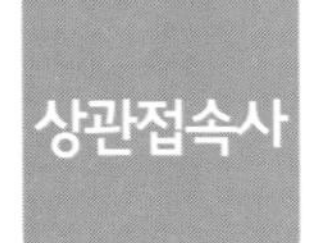 상관접속사	We 우리는	can choose 선택할 수 있다	either green tea or juice. 녹차와 주스 중 하나를	
시간의 접속사	After ~한 후에	you enter the room, 너는 그 방에 들어간다	close the door. 문을 닫아라	
이유·양보·조건의 접속사	If ~한다면	the weather is warm, 날씨가 따뜻하다	I will go on a picnic. 나는 소풍을 갈 것이다	

STEP 1 ››› 구문 Start

01 등위접속사

① Kevin **and** I / prepared / dinner / together.
(Kevin: 단어, I: 단어)
Kevin과 나는 / 준비했다 / 저녁을 / 함께

② This jacket / is / very nice **but** too small.
(very nice: 구, too small: 구)
이 재킷은 / ~이다 / 매우 멋지지만 너무 작은

- 등위접속사는 단어와 단어, 구와 구, 절과 절을 연결하고, 그 연결되는 말은 문법적으로 대등해야 한다.
- 등위접속사에는 and(~와/과, ~하고), but(~(하)지만), or(~나), so(~해서) 등이 있다.

바로 예문 영어와 우리말에서 등위접속사 찾기

1 He will wash the dishes and clean the room. 그는 설거지를 하고 방을 청소할 것이다. 〈구와 구〉

2 This ring is pretty but expensive. 이 반지는 예쁘지만 비싸다. 〈단어와 단어〉

3 Can we go there by bus or by taxi? 우리는 거기에 버스나 택시로 갈 수 있나요? 〈구와 구〉

4 The elevator was broken, so I used the stairs. 엘리베이터가 고장 나서 나는 계단을 이용했다. 〈절과 절〉

바로 훈련 등위접속사가 연결하는 말에 밑줄을 긋고, 문장을 해석하시오.

5 My suitcase is big but light.

» ____________________

6 Ted likes watching stars and reading books.

» ____________________

7 You can write an e-mail or call me anytime.

» ____________________

8 Kyle is a clever person, so everybody likes him.

» ____________________

9 Joe went to a clothing store and bought a white blouse.

» ____________________

Words

prepare 준비하다
wash the dishes 설거지를 하다
expensive 비싼
broken 고장 난
stairs 계단
light 가벼운
clever 영리한

Answers p. 33

Study Date: ____ / ____

02 상관접속사

① Harry / is / **not** a singer / **but** an actor.

Harry는 / ~이다 / 가수가 아니라 / 배우 (명사구로 대등)

② Frogs / can live / **both** / in water **and** on land.

개구리는 / 살 수 있다 / 둘 다 / 물속과 땅 위에서 (전치사구로 대등)

- 상관접속사는 두 개의 단어나 구가 짝을 이루어 하나의 접속사 역할을 한다.
- 상관접속사에는 not A but B(A가 아니라 B), both A and B(A와 B 둘 다), either A or B(A나 B 둘 중 하나), neither A nor B(A와 B 둘 다 아닌), not only A but also B(A 뿐만 아니라 B도) 등이 있다.

바로 예문 영어와 우리말에서 상관접속사 찾기

1 We will visit either France or Germany. 우리는 프랑스나 독일 중 한 곳을 방문할 것이다.

2 Bob is not only honest but also diligent. Bob은 정직할 뿐만 아니라 부지런하다.

3 Exercise is good for both body and mind. 운동은 몸과 마음 둘 다에 좋다.

4 Neither Kate nor Jim likes history. Kate와 Jim 둘 다 역사를 좋아하지 않는다.

네모 안에서 알맞은 접속사를 고르고, 문장을 해석하시오.

5 Either Jenny and / or Mike will solve the puzzle.

» ____________________

6 Nancy neither wants to stay inside or / nor wants to go out.

» ____________________

7 Both eagles but / and wolves hunt deer.

» ____________________

8 Eden is not from Australia but / either from New Zealand.

» ____________________

9 This camera is not only / both easy to use but also light to carry.

» ____________________

Words

land 땅
diligent 부지런한
be good for ~에 좋다
mind 마음
history 역사
solve 풀다
hunt 사냥하다
carry 가지고 다니다

STEP 2 »» 독해력 Upgrade

✔ 구문 강화 훈련
1 글을 읽으며 주어에 동그라미, 동사에 밑줄 긋기
2 문장 끊어 읽으며 해석하기

1 건강 관리에 관한 글의 내용으로 적절하지 않은 것은?

The new school year always brings new friends, new teachers, **and** unfortunately new

새 학년은 항상 새로운 친구와 새로운 선생님,

germs. But don't worry. If you follow these tips, you won't get sick and have to be absent

from school. First, wash your hands with soap and water after you sneeze, cough, **or** use the

bathroom. Count to 20 while you scrub! Second, don't share water bottles or drinks. Your

friend may not know that he or she is sick, and the germs can spread to you. Third, eat lots

of fruits and vegetables and exercise every day. That can help you fight off illnesses before

germs make you sick!

① 매일 운동해라.
② 충분히 잠을 자라.
③ 손을 깨끗이 씻어라.
④ 과일과 채소를 많이 먹어라.
⑤ 친구와 물을 나누어 마시지 마라.

Words
unfortunately 불행히도 germ 세균 tip 조언 absent 결석한 soap 비누 sneeze 재채기하다 cough 기침하다
count 세다 scrub 문지르다 share 나누다 spread 퍼지다 exercise 운동하다 fight off 싸우다 illness 질병

2 글의 순서를 이야기의 흐름에 맞게 배열한 것으로 가장 적절한 것은?

(A) Along the way, he ran out of money. Luckily, his helpers said they would work for nothing. But then there was an accident. **Not only** his son **but also** his daughter-in-law drowned.

(B) Like many boys, Mel Fischer liked to read about treasure ships. When he became a grown-up, Mel began his search. In 1968, he went looking for the *Atocha*, a ship that had sunk long ago with lots of treasure. Mel spent seventeen years searching for that ship.

(C) But he never gave up his dream. Finally, in 1985, he found the *Atocha*, and became a millionaire. You can see the treasures he found in his museum in Florida.

① (A)-(B)-(C)　② (B)-(C)-(A)
③ (B)-(A)-(C)　④ (C)-(A)-(B)
⑤ (A)-(C)-(B)

Words
run out of ~을 다 써 버리다　for nothing 무료로　daughter-in-law 며느리　drown 익사하다　treasure ship 보물선
grown-up 성인　search 탐사　look for 찾다　sink 가라앉다　give up 포기하다　millionaire 백만장자　museum 박물관

STEP 1 >>> 구문Start

03 시간의 접속사

① **When** / I / see / him / in the street, / I / will be / so / surprised.
시간의 부사절
~할 때 / 나는 / 보다 / 그를 / 거리에서 / 나는 / ~할 것이다 / 매우 / 놀란

② **Before** / you / turn off / the computer, / save / your files.
시간의 부사절
~하기 전에 / 너는 / ~을 끄다 / 컴퓨터를 / 저장하라 / 네 파일을

- when(~할 때), while(~하는 동안), before(~하기 전에), after(~한 후에), until(~할 때까지), as soon as(~하자마자) 등은 시간을 나타내는 부사절을 이끈다.

바로 예문 영어와 우리말에서 시간의 접속사 찾기

1 He uses a cell phone while he eats a meal. — 그는 식사하는 동안 휴대 전화를 사용한다.

2 The children played until it was dark. — 그 아이들은 어두워질 때까지 놀았다.

3 I will take out the garbage after I sweep the floor. — 나는 바닥을 쓴 후에 쓰레기를 버릴 것이다.

4 The thief ran away as soon as he saw me. — 그 도둑은 나를 보자마자 도망쳤다.

바로 훈련 시간의 접속사에 밑줄을 긋고, 문장을 해석하시오.

5 When she was 7, she traveled to a lot of countries with her parents.

>> ______________________

6 Austin caught a cold after he walked in the rain.

>> ______________________

7 I fell asleep while my mother was reading a book.

>> ______________________

8 He didn't know the problem until I told him.

>> ______________________

9 Look both ways carefully before you cross the street.

>> ______________________

Words

turn off ~을 끄다
save 저장하다
meal 식사
garbage 쓰레기
sweep 쓸다, 청소하다
thief 도둑
run away 도망치다
catch a cold 감기에 걸리다
fall asleep 잠들다
problem 문제
way 길
cross 건너다

Answers p. 34

Study Date: ____ / ____

04 이유 · 양보 · 조건의 접속사

① She / stayed up / all night / **because** / she / had / a headache.
이유의 부사절
그녀는 / 깨어 있었다 / 밤새 / ~ 때문에 / 그녀는 / 있었다 / 두통이

② **Though** / he / is / not rich, / he / always / helps / others / first.
양보의 부사절
~에도 불구하고 / 그는 / ~이다 / 부유하지 않은 / 그는 / 항상 / 돕는다 / 다른 사람들을 / 먼저

- because(~ 때문에), though(~에도 불구하고), if(~한다면)는 각각 이유, 양보, 조건의 부사절을 이끈다.

바로 예문 영어와 우리말에서 이유 · 양보 · 조건의 접속사 찾기

1 If it is sunny tomorrow, he will go fishing. 내일 날씨가 맑다면, 그는 낚시하러 갈 것이다. 〈조건〉

2 I turned on the light because I was too afraid. 나는 너무 무서웠기 때문에 불을 켰다. 〈이유〉

3 Though I had a toothache, I didn't see a doctor. 나는 치통이 있었음에도 불구하고, 진찰을 받지 않았다. 〈양보〉

4 If he comes home before six, we will eat out. 그가 6시 전에 집에 온다면, 우리는 외식을 할 것이다. 〈조건〉

바로 훈련 네모 안에서 알맞은 접속사를 고르고, 문장을 해석하시오.

5 Though / If we recycle paper, we can save a lot of trees.
» ______________________________

6 If / Though it was raining heavily, we put up a tent.
» ______________________________

7 Bob wore a suit if / because he had an important meeting.
» ______________________________

8 Because / Though he kept knocking the door, I didn't open it.
» ______________________________

9 Jessie walked to school because / if she missed the bus.
» ______________________________

Words
stay up 깨어 있다
afraid 무서워하는
toothache 치통
see a doctor 진찰을 받다
eat out 외식하다
recycle 재활용하다
put up a tent 텐트를 치다
wear 입다
suit 정장
knock 두드리다
miss 놓치다

구문 강화 훈련
1 글을 읽으며 주어에 동그라미, 동사에 밑줄 긋기
2 문장 끊어 읽으며 해석하기

3 글의 흐름으로 보아, 주어진 문장이 들어가기에 가장 적절한 곳은?

And **when** he was walking on the street, people always stopped him and asked, "Are you Professor Einstein?"

As you know, Albert Einstein was one of the most famous scientists in the world. (①)

당신도 알다시피,

Lots of people knew his face as well as his theories. (②) Then they asked him to explain his theories. (③) As so many people wanted to talk to him, Einstein began to get tired of it. (④) Finally, he thought of a good idea. (⑤) **As soon as** people stopped him, he said, "I am sorry, but I am not Professor Einstein. I am always mistaken for him."

Words stop 멈춰 세우다 professor 교수 lots of 많은 A as well as B B 뿐만 아니라 A도 theory 이론 explain 설명하다 get tired of ~에 싫증나다 think of ~을 생각해 내다 mistake for ~으로 오해하다

4 다음 글의 주제로 가장 적절한 것은?

Ukrainians decorate their Christmas trees with artificial spiders and spider webs. Here is how the idea was born. Once there lived a poor family. Their Christmas tree always had nothing on it **because** they weren't able to buy anything. **Though** their Christmas tree wasn't beautiful, they were always happy. One Christmas morning they found a spider web on their Christmas tree. When the morning sun rose, the web turned silver and gold. Since then, Ukrainians have put artificial spiders and spider webs on their Christmas trees.

① 우크라이나의 크리스마스 행사들
② 우크라이나 사람들의 거미에 관한 미신
③ 나라별 크리스마스트리 장식물의 특징
④ 크리스마스트리가 생겨난 역사적 배경
⑤ 우크라이나에서 크리스마스트리를 거미로 장식하는 이유

Words decorate 장식하다 artificial 인조의 spider web 거미줄 be born 탄생하다 once 옛날에 rise (해 · 달이) 뜨다 turn 변하다 since then 그때 이후로

Answers p. 36

Study Date: ____ / ____

네모 안에서 알맞은 것을 고르시오.

1 This bottle is empty [or / but] heavy.

2 It can kill not only flies [either / but also] mosquitos.

3 [Until / Before] you leave the room, turn off the lights.

4 We will go out [when / though] the movie ends.

5 I'm so nervous [if / because] the piano contest is tomorrow.

6 [Though / If] you save energy, you can help the Earth.

7 Someone broke the windows, [so / but] my mother was very upset.

8 Mark doesn't like [both / either] soccer and baseball.

구문 분석 노트를 완성하시오.

1 Steven is not only smart but also diligent.
(not only: 상관 접속사 / smart: ❶ ____ / but also: 상관 접속사 / diligent: 형용사)

구문: not only A but also B는 ❷ smart 와 diligent를 대등하게 연결해 준다.
해석: Steven은 ❸ ____.

2 Will you go to Jejudo by ship or by airplane?
(by ship: 전치사구 / or: 등위 접속사 / by airplane: ❶ ____)

구문: or는 by ship과 ❷ ____ 을 대등하게 연결해 준다.
해석: 당신은 제주도에 ❸ ____ 를 타고 갈 건가요?

3 I was angry when I heard the news.
(when: ❶ ____)

구문: when은 ❷ ____ 라는 뜻이다.
해석: 나는 그 소식을 ❸ ____ 화가 났다.

4 Jacob was late because he missed the bus.
(because: ❶ ____)

구문: because는 ❷ ____ 라는 뜻이다.
해석: Jacob은 버스를 ❸ ____ 늦었다.

LINK WORKBOOK p. 34

Unit 10

여러 가지 비교 표현

형용사와 부사는
원급, 비교급, 최상급을 이용해서
두 대상 또는 둘 이상의 대상을
비교할 수 있어요.

원급 비교	The cup 그 컵은	can break 깨질 수 있다	as easily as ~만큼 쉽게	the glass. 그 유리잔
비교급 비교	The camera 그 카메라는	is ~이다	heavier than ~보다 무거운	the smartphone. 그 스마트폰
최상급 비교	Tim Tim은	is ~이다	the cleverest boy 가장 영리한 소년	in his class. 그의 반에서
기타 비교 표현	The movie 그 영화는	is ~이다	getting more and more interesting. 점점 더 흥미로워지고 있다	

STEP 1 ≫ 구문 Start

01 원급 비교

① Ben / is / **as tall as** / his father.
원급 비교(형용사)
Ben은 / ~이다 / ~만큼 큰 / 그의 아버지

② Cindy / is / **not as busy as** / her co-worker. (as = so)
원급 비교의 부정
Cindy는 / ~이다 / ~만큼 바쁘지 않은 / 그녀의 동료

- 형용사나 부사의 원급을 이용해 두 대상의 정도가 같음을 나타낼 때 원급 비교 표현을 쓴다.
- 원급 비교는 'as+형용사/부사의 원급+as'의 형태로 '~만큼 …한/하게'로 해석한다.
- 원급 비교의 부정은 'not as[so]+형용사/부사의 원급+as'의 형태로 '~만큼 …하지 않은/않게'로 해석한다.

바로 예문 영어와 우리말에서 원급 비교 표현 찾기

1 My bag is as heavy as the suitcase. 내 가방은 그 여행 가방만큼 무겁다.

2 My puppy runs as fast as Tim's dog. 내 강아지는 Tim의 개만큼 빨리 달린다.

3 This ring is as expensive as the necklace. 이 반지는 그 목걸이만큼 비싸다.

4 She does not speak Spanish as well as a native speaker. 그녀는 스페인어를 원어민만큼 잘하지 못한다.

바로 훈련 원급 비교 표현에 밑줄을 긋고, 문장을 해석하시오.

5 Kevin's bike is not as old as mine.

≫ ______________________________

6 You can change your nickname as often as you want.

≫ ______________________________

7 Volleyball is as popular as soccer in Brazil.

≫ ______________________________

8 My uncle does not like sports so much as my father.

≫ ______________________________

9 This copy machine is as useful as the old one.

≫ ______________________________

Words
co-worker 동료
expensive 비싼
necklace 목걸이
native speaker 원어민
nickname 별명
volleyball 배구
popular 인기 있는
copy machine 복사기
useful 유용한

Answers p. 37

Study Date: ______ / ______

02 비교급 비교

① Busan / is / **larger than** / Seoul.
비교급(형용사+-er) 비교
부산은 / ~이다 / ~보다 더 큰 / 서울

② A tiger / is / **more dangerous than** / an elephant.
비교급(3음절 이상) 비교
호랑이는 / ~이다 / ~보다 더 위험한 / 코끼리

- 두 대상 중 한쪽이 다른 쪽보다 정도가 더 함을 나타낼 때 비교급 비교 표현을 쓴다.
- 비교급의 형태는 '형용사/부사+-er' 또는 'more+형용사/부사'로 한다.
- 비교급 비교는 '형용사/부사의 비교급+than'의 형태로 '~보다 더 …한/하게'로 해석한다.

바로 예문 영어와 우리말에서 비교급 비교 표현 찾기

1 Mt. Halla is higher than Mt. Seorak. 한라산은 설악산보다 더 높다.

2 Peter drives more carefully than his father. Peter는 그의 아버지보다 더 조심스럽게 운전을 한다.

3 Liam is weaker than other students. Liam은 다른 학생들보다 더 약하다.

4 I think math is more difficult than English. 나는 수학이 영어보다 더 어렵다고 생각한다.

바로 훈련 네모 안에서 어법에 맞는 비교 표현을 고르고, 문장을 해석하시오.

5 This laptop is [more cheap / cheaper] than the smartphone.
» ______________________________

6 The actress is [more famous / famouser] in China than in Korea.
» ______________________________

7 I completed the sentence [faster / more fast] than Jamie in the class.
» ______________________________

8 Doing homework is [more easy / easier] than doing housework.
» ______________________________

9 Mason can fix a computer [quicker / more quick] than his teacher.
» ______________________________

Words
large 큰, 광대한
dangerous 위험한
carefully 조심스럽게
weak 약한
difficult 어려운
laptop 휴대용 컴퓨터
cheap (값이) 싼
complete 완성하다
sentence 문장
housework 집안일

STEP 2 》 독해력 Upgrade

✔ 구문 강화 훈련
1 글을 읽으며 주어에 동그라미, 동사에 밑줄 긋기
2 문장 끊어 읽으며 해석하기

1 다음 글의 요지로 가장 적절한 것은?

About 5,000 years ago, the Sahara wasn't **as dry as** it is now. At the time, lots of grass and

5천 년 전쯤, 사하라 사막은 지금만큼 건조하지 않았다.

trees covered it. We know this from some old paintings. These paintings were found in the desert and included pictures of giraffes, hippos, and lions. You can't find those animals in the Sahara now because they can live only in the places where grass can grow. So the animal paintings show that the Sahara wasn't that dry and was **as green as** other places at that time.

① 예전에 사하라는 사막이 아니었다.
② 아프리카 대륙의 사막화를 막아야 한다.
③ 사하라 사막은 앞으로 더 건조해질 것이다.
④ 사하라의 주민들은 활발한 예술 활동을 했다.
⑤ 사하라 사막에서 많은 유물이 발견되고 있다.

Words dry 건조한 grass 풀 cover 뒤덮다 painting 그림 desert 사막 include 포함하다 giraffe 기린 hippo 하마 place 장소, 곳 grow 자라다 show 보여 주다

Answers pp. 37~38
Study Date: ____ / ____

2

다음 글의 주제로 가장 적절한 것은?

"Wash up before dinner!" You may have heard this many times. But some animals wash their food before eating. Raccoons have the habit of cleaning their food in water. Are they **cleaner than** other animals? Not really. Some scientists say that raccoons do this to get more information about the food. They say raccoons' paws are **more sensitive than** many other animals' paws. Water is important to a raccoon's sense of touch. When there is water, it helps raccoons to know more about the food. This is important for raccoons as they need to figure out what is edible and what is not.

① The Importance of Drinking Clean Water to Raccoons
② How Raccoons Clean Their Food
③ The Necessity for Raccoons to Eat Clean Food
④ The Places That Raccoons Like to Inhabit
⑤ The Reason Raccoons Wash Their Food in Water

Words
raccoon 너구리 habit 습성, 습관 paw 앞발 sensitive 민감한 sense of touch 촉각 figure out ~을 알아내다
edible 먹을 수 있는 necessity 필요성 inhabit 서식하다 reason 이유

STEP 1 >>> 구문 Start

03 최상급 비교

① Nick / is / **the tallest** student / in his class.
최상급(형용사+-est) 비교
Nick은 / ~이다 / 가장 키가 큰 학생 / 그의 반에서

② My room / is / **the most comfortable** place / in the world.
최상급(3음절 이상) 비교
내 방은 / ~이다 / 가장 편안한 장소 / 세상에서

- 세 개 이상의 대상 중 하나의 정도가 가장 높음을 나타낼 때 최상급 비교 표현을 쓴다.
- 최상급의 형태는 '형용사/부사+-est' 또는 'most+형용사/부사'로 한다.
- 최상급 비교는 'the+형용사/부사의 최상급 ~ (+in[of] 명사(구))'의 형태로 '(… 중에서) 가장 ~한/하게'로 해석한다.

바로 예문 영어와 우리말에서 최상급 비교 표현 찾기

1 He is the bravest boy of his friends. 그는 그의 친구들 중에 가장 용감한 소년이다.

2 She sings the best in our school. 그녀는 우리 학교에서 노래를 가장 잘한다.

3 The man is the busiest person in this city. 그 남자는 이 도시에서 가장 바쁜 사람이다.

4 The blue cap is the most expensive item in this shop. 그 파란색 모자는 이 가게에서 가장 비싼 물건이다.

바로 훈련 최상급 비교 표현에 밑줄을 긋고, 문장을 해석하시오.

5 Today is the happiest day of my life.

>> ______________________________

6 I chose the most beautiful dress in the closet.

>> ______________________________

7 Anna reached the finish line the fastest in the class.

>> ______________________________

8 Taking care of a baby is the most difficult job for me.

>> ______________________________

9 The farmers work the hardest in spring.

>> ______________________________

Words
comfortable 편안한
brave 용감한
choose 고르다
closet 옷장
reach 도달하다
finish line 결승선
farmer 농부
spring 봄

Answers p. 38

Study Date: ____ / ____

04 기타 비교 표현

① This bridge / is / **three times as long as** / that bridge.
(= three times longer than)
(배수사+as+원급+as)

이 다리는 / ~이다 / ~보다 세 배 더 긴 / 저 다리

② **The more** / you / practice, / **the better** / you / will be.
(the+비교급) (the+비교급)

더 많이 / 네가 / 연습하다 / 더 나아질 / 너는 / ~일 것이다

- '배수사+as+원급+as' 또는 '배수사+비교급+than'은 '~보다 몇 배 더 …한/하게'로 해석한다.
- 'the+비교급 ~, the+비교급 …'은 '~할수록 더 …하다'로, 'get+비교급+and+비교급'은 '점점 더 ~해지다'로 해석한다.
- 'as+원급+as possible[주어+can]'은 '가능한 한[주어가 할 수 있는 한] ~한/하게'로 해석한다.

바로 예문 영어와 우리말에서 원급, 비교급을 이용한 비교 표현 찾기

1 A motorcycle is three times faster than a bike. 오토바이가 자전거보다 세 배 더 빠르다.

2 The Earth is getting hotter and hotter. 지구가 점점 더 뜨거워지고 있다.

3 Can you send me the letter as soon as possible? 나에게 가능한 한 빨리 그 편지를 보내 줄 수 있니?

4 The more mistakes we make, the more we learn. 더 많이 실수할수록 우리는 더 많이 배운다.

바로 훈련 네모 안에서 어법에 맞는 비교 표현을 고르고, 문장을 해석하시오.

5 This tree is twice as high [as / than] that one.

» ______________________________

6 Tommy is cleaning his room as [quickly / more quickly] as he can.

» ______________________________

7 The price of computers is getting cheaper [or / and] cheaper.

» ______________________________

8 My baggage is four times [heavy / heavier] than yours.

» ______________________________

9 The hotter the weather gets, the [many / more] energy people spend.

» ______________________________

Words

bridge 다리
times ~배
practice 연습하다
motorcycle 오토바이
soon 빨리
learn 배우다
twice 두 배로
price 가격
baggage 짐
weather 날씨
spend 소비하다

✔ 구문 강화 훈련
1 글을 읽으며 주어에 동그라미, 동사에 밑줄 긋기
2 문장 끊어 읽으며 해석하기

3 밑줄 친 ①~⑤ 중에서 어법상 틀린 것은?

In 1968, college student Dorthy Retallack studied the effects of music on plants. She

1968년에 한 대학생인 Dorthy Retallack은

① played different kinds of music to the plants. She used music ② such as classical, jazz,

pop, and rock. She found that the plants grew ③ better with almost every type of music except

rock. Jazz and classical were **the most helpful** to the plants. However, rock was ④ bad of all.

⑤ When she played rock music to the plants, they withered and died.

* wither 시들다

Words college 대학 effect 영향 plant 식물 different 여러 가지의 such as ~과 같은 better (well의 비교급) 더 잘 almost 거의 except ~을 제외하고 helpful 도움이 되는

4 밑줄 친 an egg tooth에 관한 글의 내용으로 적절하지 않은 것은?

Baby birds have to break their shell to get out of the egg. It may be a very difficult job for them. They may have to be as strong as an ox to break it. However, they actually don't need to be that strong because they are born with an egg tooth. An egg tooth is a very tiny thing at the tip of the beak. It is not so big or hard as a real tooth. However, **the closer** the hatching time comes, **the harder** the tooth becomes. The tooth helps a baby bird break out of the shell more easily. Baby birds have it for only a few days after they are born.

* egg tooth 난치 ** hatching time 부화 시기

① 크기가 매우 작다.
② 아기 새의 부리 끝에 나 있다.
③ 부화 시기가 다가올수록 더 단단해진다.
④ 아기 새가 먹이를 쉽게 먹을 수 있게 해 준다.
⑤ 아기 새가 태어난 지 며칠 후에는 빠져 버린다.

Words
break 부수다, 깨다 shell 껍질 get out of ~에서 나오다 strong 강한 ox 황소 be born 태어나다 tiny 아주 작은 tip (뾰족한) 끝 beak 부리 a few 약간의, 몇

STEP 3 ››› 구문 Master

Answers p. 40

Study Date: ____ / ____

네모 안에서 알맞은 것을 고르시오.

1 My schoolbag is as [new / newest] as yours.

2 Mt. Baekdu is [higher / more high] than Mt. Halla.

3 He is the [more / most] famous actor in Korea.

4 The sky is getting [dark and dark / darker and darker].

5 Ben is the [faster / fastest] runner of his classmates.

6 The higher I climbed, the [colder / cold] it got.

7 This carrot looks as [fresh / fresher] as that one.

8 The final exam was [difficulter / more difficult] than the mid-term exam.

구분 분석 노트를 완성하시오.

1 Badminton is as popular as soccer here. ❶ ______ (as popular as)	구문: popular는 형용사의 ❷ 원급 이다. 해석: 배드민턴은 여기에서 ❸ ______ .
2 I always get up earlier than my little brother. ❶ ______ (earlier than)	구문: 부사 ❷ ______ 의 비교급은 earlier이다. 해석: 나는 항상 우리 ❸ ______ .
3 Nick is the busiest worker in the office. ❶ ______ (the busiest)	구문: busiest는 형용사 ❷ ______ 의 최상급이다. 해석: Nick은 사무실에서 ❸ ______ 직원이다.
4 My gift is three times as big as yours. ❶ ______ (three times as big as)	구문: 이 문장에서 as big as는 ❷ ______ 으로 바꿔 쓸 수 있다. 해석: 내 선물은 네 것보다 ❸ ______ .

LINK WORKBOOK p. 38

배움으로 행복한 내일을 꿈꾸는

천재교육 커뮤니티 안내

교재 안내부터 구매까지 한 번에!

천재교육 홈페이지

자사가 발행하는 참고서, 교과서에 대한 소개는 물론
도서 구매도 할 수 있습니다. 회원에게 지급되는 별을 모아
다양한 상품 응모에도 도전해 보세요!

다양한 교육 꿀팁에 깜짝 이벤트는 덤!

천재교육 인스타그램

천재교육의 새롭고 중요한 소식을 가장 먼저 접하고 싶다면?
천재교육 인스타그램 팔로우가 필수!
깜짝 이벤트도 수시로 진행되니 놓치지 마세요!

수업이 편리해지는

천재교육 ACA 사이트

오직 선생님만을 위한, 천재교육 모든 교재에 대한 정보가 담긴
아카 사이트에서는 다양한 수업자료 및 부가 자료는 물론
시험 출제에 필요한 문제도 다운로드하실 수 있습니다.

천재교육을 사랑하는 샘들의 모임

천사샘

학원 강사, 공부방 선생님이시라면 누구나 가입할 수 있는 천사샘!
교재 개발 및 평가를 통해 교재 검토진으로 참여할 수 있는 기회는 물론
다양한 교사용 교재 증정 이벤트가 선생님을 기다립니다.

아이와 함께 성장하는 학부모들의 모임공간

튠맘 학습연구소

튠맘 학습연구소는 초·중등 학부모를 대상으로 다양한 이벤트와 함께
교재 리뷰 및 학습 정보를 제공하는 네이버 카페입니다.
초등학생, 중학생 자녀를 둔 학부모님이라면 튠맘 학습연구소로 오세요!

바로
읽는
구문
독해

WORKBOOK

CHUNJAE
EDUCATION, INC.

바로 읽는 구문 독해

WORKBOOK

바로 읽는 구문 독해
WORKBOOK

LEVEL 1

Unit 1
문장의 구조 알기

A 이 단원에서 배운 내용을 정리하시오.

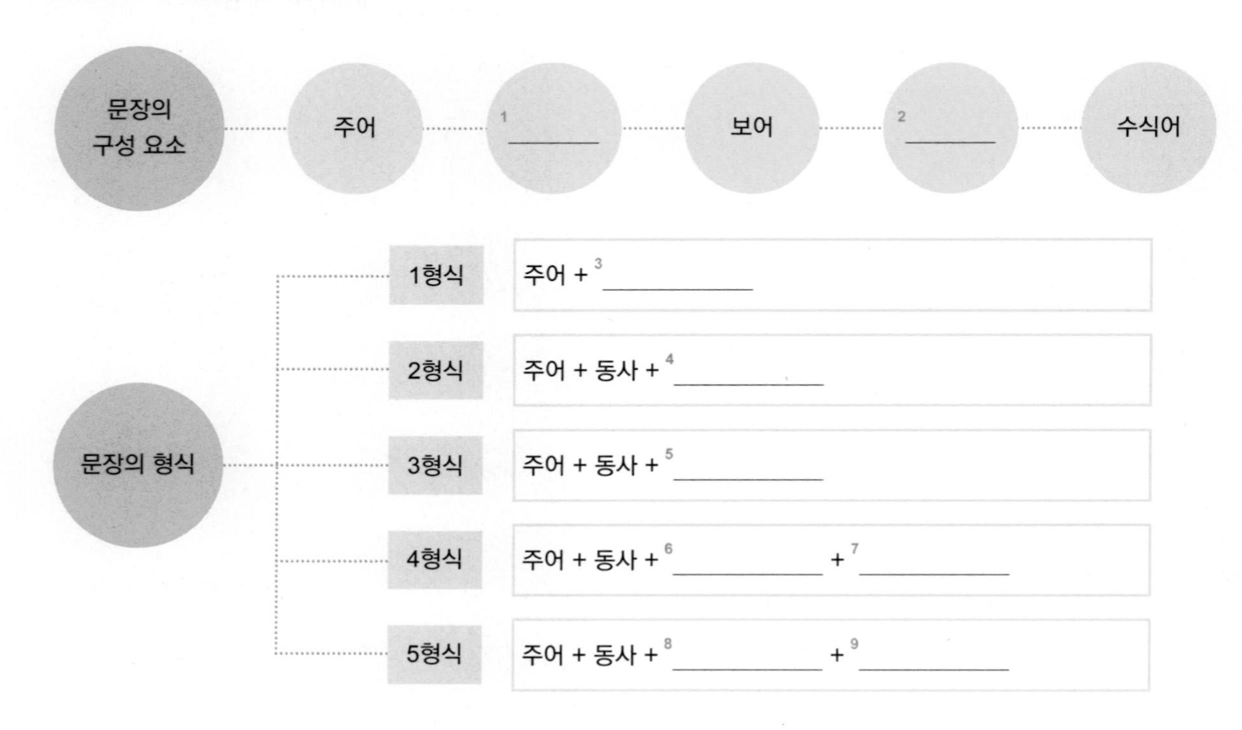

B 다음 영어는 우리말로, 우리말은 영어로 쓰시오.

1 thirsty ________
2 vacation ________
3 present ________
4 introduce ________
5 twinkle ________
6 magician ________
7 enough ________
8 always ________
9 unique ________
10 produce ________
11 서점 ________
12 일기를 쓰다 ________
13 발명하다 ________
14 두꺼운 ________
15 살아남다 ________
16 비어 있는 ________
17 어려운 ________
18 고향 ________
19 값이 싼 ________
20 젊은 ________

Study Date: ____ / ____

C 보기에서 알맞은 단어를 골라 빈칸에 쓰시오.

보기	learn	keep	taste	lend	make

1 This fruit ________s very bitter. (이 과일은 아주 쓴맛이 난다.)

2 The book ________s me happy. (그 책은 나를 행복하게 만든다.)

3 Amy will ________ me her bicycle. (Amy는 나에게 그녀의 자전거를 빌려줄 것이다.)

4 My mother always ________s the kitchen very clean.
(우리 어머니는 항상 부엌을 매우 깨끗하게 유지하신다.)

5 Tommy ________s Japanese after school. (Tommy는 방과 후에 일본어를 배운다.)

D 네모 안에서 어법에 맞는 표현을 고르고, 문장을 해석하시오.

1 This soup tastes very sweet / sweetly .

» ________________________________

2 I found the news interesting / interestingly .

» ________________________________

3 My sister teaches me English / English me .

» ________________________________

4 He ate a hamburger for / for a hamburger lunch.

» ________________________________

5 This drama makes me sad / sadly .

» ________________________________

E 우리말에 맞게 주어진 표현을 바르게 배열하시오.

1 고양이 한 마리가 집 앞에서 잔다. a cat / the house / sleeps / in front of

» ______________________________

2 이 레몬주스는 신맛이 난다. sour / lemon juice / this / tastes

» ______________________________

3 Emily는 겨울 방학 동안에 중국어를 배운다.

learns / during the winter vacation / Emily / Chinese

» ______________________________

4 그 선물은 Tony를 행복하게 만들었다. made / Tony / happy / the present

» ______________________________

5 많은 학생들은 그 수학 시험을 어렵게 느꼈다.

the math exam / many students / difficult / found

» ______________________________

6 우리 선생님은 모든 학생에게 크리스마스카드를 쓰셨다.

wrote / every student / a Christmas card / my teacher

» ______________________________

7 아빠 개구리는 그들의 천적으로부터 알을 보호한다.

from their enemies / their eggs / protect / father frogs

» ______________________________

8 그 붉은 건물들은 도시에 독특한 색감을 준다.

give / a unique coloring / the city / the red buildings

» ______________________________

F 다음 주어진 표현을 활용하여 문장을 완성하시오.

1 이 국수는 짠맛이 난다. taste

» These ______________________.

2 우리 언니는 매일 일기를 쓴다. keep

» My sister ______________________ every day.

3 우리 어머니는 나에게 새 배낭을 사 주셨다. buy a new backpack

» My mother ______________________.

4 나는 항상 내 방을 깨끗하게 유지한다. keep clean

» I always ______________________.

5 우리에게 물 한 병을 가져다 줄 수 있니? bring a bottle of water

» Can you ______________________?

6 우리 가족은 그 개를 Harry라고 불렀다. call

» My family ______________________.

7 솜사탕은 매우 단맛이 난다. taste

» Cotton candy ______________________.

8 나이지리아 사람들은 이 냉장고가 놀랍게 느낀다. this cooler amazing

» People in Nigeria ______________________.

Unit 2
주어와 목적어 자리에 오는 것

A 이 단원에서 배운 내용을 정리하시오.

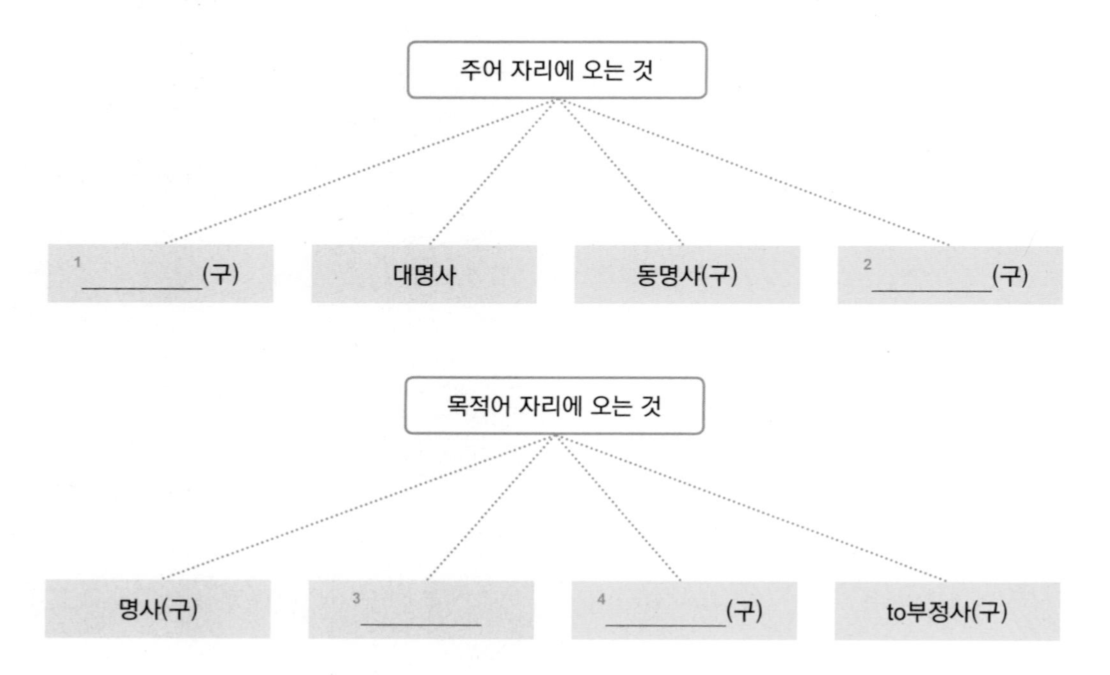

B 다음 영어는 우리말로, 우리말은 영어로 쓰시오.

1 favorite	________	11 간단한	________
2 exercise	________	12 여행하다	________
3 country	________	13 별명, 별칭	________
4 suddenly	________	14 어리석은	________
5 almost	________	15 웃다	________
6 growth	________	16 고르다	________
7 population	________	17 중요한	________
8 expect	________	18 이기다	________
9 anger	________	19 거르다	________
10 normal	________	20 그림	________

C 보기에서 알맞은 단어를 골라 빈칸에 쓰시오.

보기	growth	scary	present	mind	hope

1 Tim enjoys watching __________ movies. (Tim은 무서운 영화를 보는 것을 즐긴다.)

2 He __________s to be a painter. (그는 화가가 되기를 바란다.)

3 Linda doesn't __________ lending her book to me.
(Linda는 나에게 그녀의 책을 빌려주는 것을 꺼리지 않는다.)

4 Sleep and good food are important for your __________. (잠과 좋은 음식은 네 성장에 중요하다.)

5 I will open my birthday __________ soon. (나는 곧 생일 선물을 열어 볼 거야.)

D 네모 안에서 어법에 맞는 표현을 고르고, 문장을 해석하시오.

1 Drink / Drinking water often is good for your health.
» ______________________________

2 We enjoy to go / going fishing on weekends.
» ______________________________

3 They expect to build / building a new house this year.
» ______________________________

4 To get up / Get up early in the morning is not easy.
» ______________________________

5 Judy wants to travel / traveling to the city this Friday.
» ______________________________

E 우리말에 맞게 주어진 표현을 바르게 배열하시오.

1 애완동물을 돌보는 것은 어렵다. difficult / taking care of / pets / is

»

2 Franklin 씨는 학교에서 사회를 가르친다. at school / Mr. Franklin / social studies / teaches

»

3 내 친구들은 컴퓨터 게임 하는 것을 좋아하지 않는다.

don't / play computer games / my friends / like to

»

4 그들은 해변에서 수영하는 것을 즐긴다. enjoy / at the beach / they / swimming

»

5 우리 남동생은 새 자전거를 사고 싶어 한다.

to buy / my brother / a new bike / wants

»

6 그 아기는 왜 계속 우니? does / crying / the baby / why / keep

»

7 그는 그의 주머니에서 5센트짜리 동전을 하나 꺼냈다.

took / his pocket / a five-cent coin / he / out from

»

8 사우나에서 휴식하는 것은 핀란드 사람들의 삶에 중요한 일부이다.

is / in a sauna / Finnish people's life / an important part of / relaxing

»

Study Date: ____ / ____

F 다음 주어진 표현을 활용하여 문장을 완성하시오.

1 우리는 어제 웃긴 영화를 보았다. watch funny

» We ______________________________ yesterday.

2 Jenny는 매주 토요일마다 쿠키를 만든다. make cookies

» Jenny ______________________________ Saturday.

3 배드민턴을 치는 것은 좋은 운동이다. play badminton exercise

» ______________ a good ______________.

4 이 스카프는 우리 어머니를 위한 선물이다. scarf a present

» This ______________________________.

5 과일을 먹는 것은 네 건강에 좋다. fruits health

» Eating ______________________________.

6 Kate는 유명한 가수가 되기를 바란다. hope a famous singer

» Kate ______________________________.

7 핀란드에서 사우나를 찾는 것은 어렵지 않다. find saunas difficult

» ______________ in Finland ______________.

8 당신이 농담으로 웃는 것을 즐길 때, 당신의 화는 사라질 것이다. enjoy laugh at jokes

» When ______________________________, your anger will go away.

Unit 3
보어 자리에 오는 것

A 이 단원에서 배운 내용을 정리하시오.

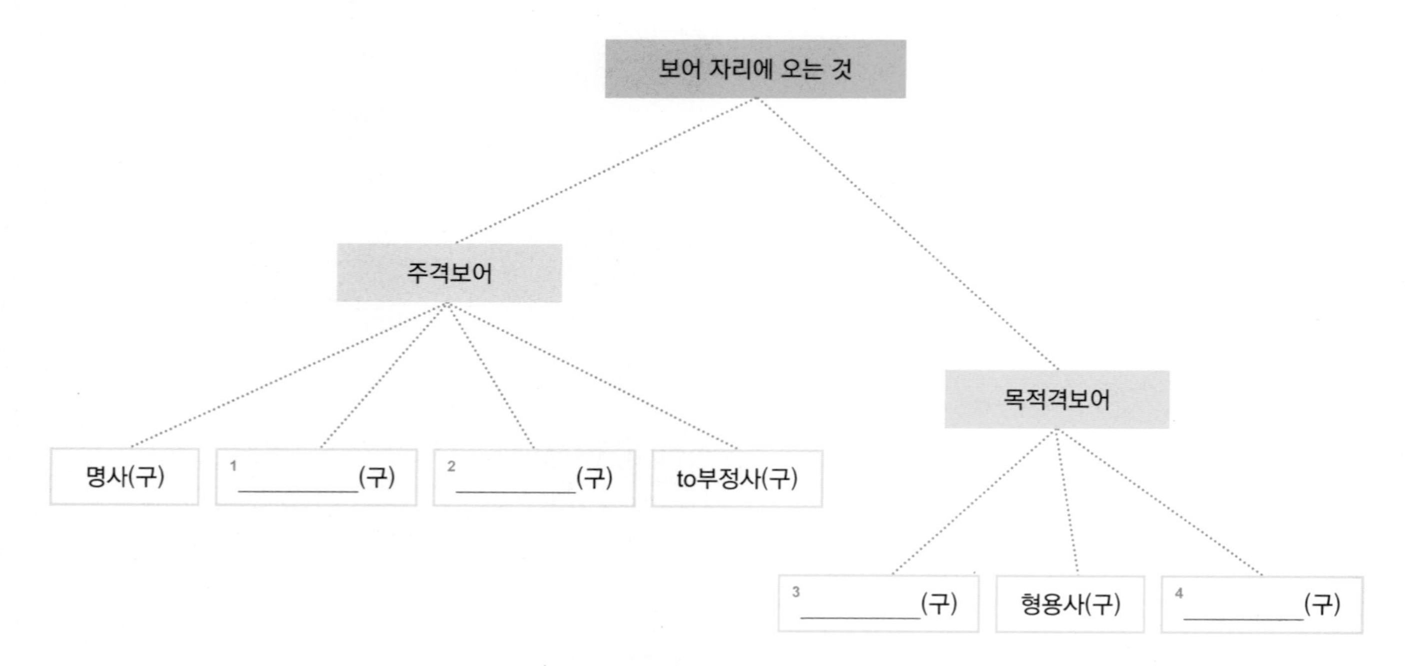

B 다음 영어는 우리말로, 우리말은 영어로 쓰시오.

1 regularly ______________

2 habit ______________

3 genius ______________

4 dig ______________

5 raise ______________

6 form ______________

7 coutinue ______________

8 lawyer ______________

9 unluckily ______________

10 recycle ______________

11 인기 있는 ______________

12 공유하다 ______________

13 자라다 ______________

14 균형 ______________

15 신경 쓰다 ______________

16 편안한 ______________

17 환자 ______________

18 거대한 ______________

19 (맛이) 쓴 ______________

20 우주 ______________

Study Date: ____ / ____

C 보기에서 알맞은 단어를 골라 빈칸에 쓰시오.

보기	bright	tell	allow	safe	plan

1 Wearing a seat belt in a car is ________. (차 안에서 안전벨트를 매는 것은 안전하다.)

2 My ________ is reading ten books by next week. (내 계획은 다음 주까지 책 10권을 읽는 것이다.)

3 The moon is very ________ tonight. (오늘 밤에 달이 매우 밝다.)

4 Can you ________ him to call me back? (그에게 나한테 전화해 달라고 말해 줄 수 있니?)

5 My parents ________ed me to play computer games for one hour.
(우리 부모님은 내가 1시간 동안 컴퓨터 게임을 하도록 허락하셨다.)

D 네모 안에서 어법에 맞는 표현을 고르고, 문장을 해석하시오.

1 These grapes taste very sweet / sweetly .

» ________________________________

2 We found the chair very comfortable / comfortably .

» ________________________________

3 One of my good habits is wash / washing my hands often.

» ________________________________

4 My mother expects me going / to go to the library on weekends.

» ________________________________

5 My grandmother asked me taking / to take care of her dog.

» ________________________________

Unit 3 보어 자리에 오는 것

E 우리말에 맞게 주어진 표현을 바르게 배열하시오.

1 그 작은 소녀는 유명한 모델이 되었다. became / the little girl / a famous model

» ______________________________

2 헬멧을 쓰는 것은 네 머리를 안전하게 보호해 준다. safe / keeps / wearing a helmet / your head

» ______________________________

3 Bell의 문제는 아침에 늦게 일어나는 것이다.

late / Bell's problem / getting up / is / in the morning

» ______________________________

4 나는 항상 내 책상을 깨끗하게 유지한다. always / my desk / I / clean / keep

» ______________________________

5 우리 아버지는 항상 가난한 사람들을 도우라고 말씀하신다.

to help / my father / the poor / always / tells / me

» ______________________________

6 그녀는 내가 화가가 되기를 기대한다. expects / to be / an artist / she / me

» ______________________________

7 그는 신에게 주차 공간을 찾을 수 있도록 요청했다.

asked / to find / God / a parking space / he

» ______________________________

8 그것들은 어느 누구도 아주 부유하게 만들어 주지는 않을 것이다.

are not going to / very rich / they / make / anyone

» ______________________________

F 다음 주어진 표현을 활용하여 문장을 완성하시오.

1 그 초콜릿 케이크는 맛있어 보인다. chocolate cake delicious

» The ____.

2 그녀의 꿈은 좋은 세상을 만드는 것이다. make a good world

» Her dream ____.

3 중요한 것은 정기적으로 운동을 하는 것이다. important thing exercise

» The ____ regularly.

4 그들은 그들의 아기를 Grace라고 이름 지었다. name their baby

» They ____.

5 Cindy는 수업 시간에 나에게 질문에 대답해 달라고 요청한다. ask answer the questions

» Cindy ____ in class.

6 항상 내가 너를 도와줄 거라고 기대하지 마. expect me help

» Don't ____ all the time.

7 무엇이 그들을 슬프게 만들까? make sad

» What ____?

8 또 다른 중요한 것은 보드 위에서 균형을 유지하는 것이다. keep your balance

» Another important thing ____ on the board.

Unit 4
be동사의 시제

A 이 단원에서 배운 내용을 정리하시오.

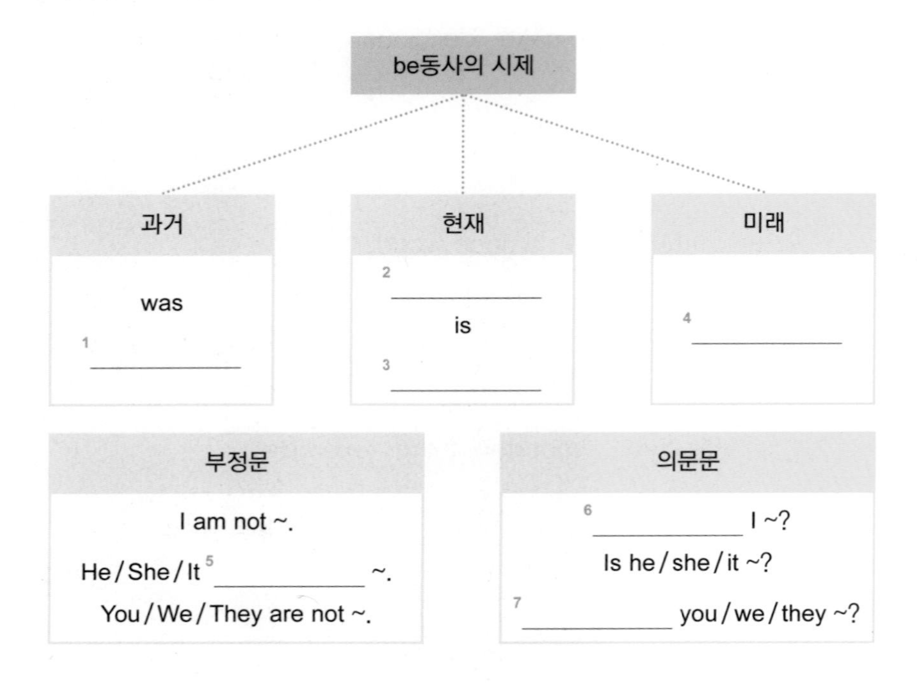

B 다음 영어는 우리말로, 우리말은 영어로 쓰시오.

1 strict ___________

2 sometimes ___________

3 absent ___________

4 everywhere ___________

5 fashionable ___________

6 return ___________

7 originally ___________

8 pollution ___________

9 temperature ___________

10 beyond ___________

11 가져오다 ___________

12 비싼 ___________

13 햇빛 ___________

14 심각한 ___________

15 폭풍우가 치는 ___________

16 대신하다 ___________

17 유감스러운 ___________

18 쾌활한 ___________

19 특이한 ___________

20 먹이를 주다 ___________

C 보기에서 알맞은 단어를 골라 빈칸에 쓰시오.

보기	near	various	return	last	is surprised at

1 Janet bought a new bike ________ year. (Janet은 새 자전거를 작년에 샀다.)

2 He ________ed to buy cat food. (그는 고양이 사료를 사기 위해 돌아왔다.)

3 The country is famous for its ________ kinds of roses.(그 나라는 다양한 종류의 장미로 유명하다.)

4 The bus stop is ________ my house. (버스 정류장은 우리 집 근처에 있다.)

5 Everyone ________________ the speed of the train. (모두가 그 열차의 속도에 놀란다.)

D 네모 안에서 어법에 맞는 표현을 고르고, 문장을 해석하시오.

1 He will not be / will be not at home this winter.
» ______________________________

2 Lisa was / is in the kitchen at the moment.
» ______________________________

3 My parents are / will be very happy with the present tomorrow.
» ______________________________

4 Are / Were they on the fourth floor now?
» ______________________________

5 My sister is / was angry at me yesterday.
» ______________________________

E 우리말에 맞게 주어진 표현을 바르게 배열하시오.

1 그녀는 어제 학교에 결석했다. yesterday / was absent from / she / school

»

2 탁자 위에 있는 지우개는 내 것이 아니다. are / on the table / the erasers / not / mine

»

3 물을 매일 많이 마시는 것은 너에게 좋다.

lots of water / you / drinking / is good for / every day

»

4 영어 시험은 이번에 매우 어려울 거야.

difficult / will be / the English test / very / this time

»

5 지난주 토요일에 토론토에 눈이 왔니? in Toronto / snowy / last Saturday / it / was

»

6 Erik the Red는 이 땅을 발견한 최초의 사람이었다.

the first person / to discover / Erik the Red / was / this land

»

7 공기 오염은 미래에 큰 문제가 될 거야.

will be / a big problem / the air pollution / in the future

»

8 튤립은 전 세계 정원에서 인기 있는 꽃이다.

is / in gardens / the tulip / a popular flower / around the world

»

Study Date: ____ / ____

F 다음 주어진 표현을 활용하여 문장을 완성하시오.

1 너희 집 근처에 은행이 있니? there a bank

» ________________ near your house?

2 그들은 어제 그 소식에 매우 놀랐다. be surprised at the news

» They ________________.

3 학교는 3시에 끝날 거야. be over at three

» School ________________.

4 너는 한 시간 전에 교실에 있었니? in the classroom an hour

» ________________ ago?

5 당신은 그곳에서 많은 초록을 볼 수 없다. be able to see

» You ________________ much green there.

6 Jamie는 다시 수업에 늦지 않을 것이다. be late for the class

» Jamie ________________ again.

7 Judy와 나는 작년에 같은 반이었다. in the same class

» Judy and I ________________ last year.

8 기온은 5도에서 6도 정도 될 것이다. temperatures be around

» ________________ five to six degrees.

Unit 5
일반동사의 시제

A 이 단원에서 배운 내용을 정리하시오.

일반동사의 시제

현재	과거	미래	진행
• 현재의 동작이나 습관, 상태, 일반적 사실을 나타냄 • 부정형: 1 ________ + 동사원형 • 의문문: Do/Does+주어+ 2 ________ ~?	• 과거의 동작, 상태, 사실을 나타냄 • 부정형: 3 ________ + 동사원형 • 의문문: 4 ________ + 주어+동사원형 ~?	• 미래의 일어날 동작, 상태, 계획을 나타냄 • 부정형: 5 ________ + 동사원형 • 의문문: 6 ________ + 주어+동사원형 ~?	• 현재진행형: 7 ________ +동사원형-ing • 과거진행형: 8 ________ +동사원형-ing • 미래진행형: 9 ________ +동사원형-ing

B 다음 영어는 우리말로, 우리말은 영어로 쓰시오.

1 breakfast ________

2 local ________

3 invent ________

4 yawn ________

5 plastic straw ________

6 temperature ________

7 frozen ________

8 raise ________

9 wildlife ________

10 lead ________

11 (건물 등을) 짓다 ________

12 빌리다 ________

13 사전 ________

14 기억하다 ________

15 충분히 ________

16 고치다 ________

17 주문하다 ________

18 사막 ________

19 의미하다 ________

20 낯선 ________

Study Date: ______ / ______

C 보기에서 알맞은 단어를 골라 빈칸에 쓰시오.

보기	catch	true	stir	sell	water

1 My mother ________s flowers every morning. (우리 어머니는 아침마다 꽃에 물을 주신다.)

2 Can you ________ my ball? (너는 내 공을 잡을 수 있니?)

3 The rumor may not be ________. (그 소문은 사실이 아닐 거야.)

4 ________ milk, flour, and sugar together in a bowl. (그릇에 우유, 밀가루와 설탕을 함께 저어라.)

5 Today people buy and ________ things on the Internet.
(요즘 사람들은 인터넷에서 물건을 사고판다.)

D 네모 안에서 어법에 맞는 표현을 고르고, 문장을 해석하시오.

1 Chole brushes / brushed her teeth five times a day.

» ______________________________

2 I invited / will invite my classmates to the birthday party this Sunday.

» ______________________________

3 Julia will clean / is cleaning the garden now.

» ______________________________

4 My little brother didn't have / doesn't have a flu last year.

» ______________________________

5 James will be fixing / is fixing his computer this Saturday morning.

» ______________________________

E 우리말에 맞게 주어진 표현을 바르게 배열하시오.

1 그들은 기타 치는 것을 즐기지 않는다. the guiter / they / playing / enjoy / don't

»

2 우리는 차에서 안전벨트를 매지 않았다. didn't wear / in the car / a seat belt / we

»

3 Nick은 지난달에 새 스마트폰을 샀다. a new smartphone / Nick / last month / bought

»

4 우리 가족은 지금부터 에너지를 절약할 것이다.

save / from now on / our family / will / energy

»

5 너는 일요일 아침에 영화를 보고 있을 거니?

be watching / on Sunday morning / will you / a movie

»

6 우리 할머니는 이제는 채소를 기르시지 않는다.

is not / anymore / my grandmother / vegetables / growing

»

7 동물의 자취가 당신을 물로 이끌 것이다.

will / you / animal tracks / lead / to water

»

8 나는 내 친구와 스페인에서 걸어 다니고 있을 것이다.

will / with my friend / I / be walking around / in Spain

»

Study Date: ______ / ______

F

다음 주어진 표현을 활용하여 문장을 완성하시오.

1 달은 지구 주위를 돈다. move around / the Earth

» The moon ________________________________.

2 Jenny가 네 공책을 어제 빌렸니? borrow / your notebook

» ____________ Jenny ____________________ yesterday?

3 Kevin은 지난주에 새 아파트로 이사를 갔다. move / a new apartment

» Kevin ________________________________ last week.

4 Ellen은 여름 방학 계획을 세울 거니? make a plan / the summer vacation

» ____________ Ellen ____________________________?

5 나는 오늘 밤 10시에 기차를 기다리고 있을 것이다. wait for / the train

» I ________________________________ at ten tonight.

6 Tina는 오늘 아침에 그녀의 개와 산책 중이었니? take a walk / with her dog

» ____________ Tina ____________________ this morning?

7 당신이 하품을 할 때, 당신의 뇌는 더 작동을 잘하게 될 것이다. yawn / work better

» When you ____________, your brain ____________________.

8 그는 자신이 새로운 간식을 발명했다는 것을 몰랐다. know / invent

» He ____________ that he ____________________.

Unit 6
조동사

A 이 단원에서 배운 내용을 정리하시오.

조동사	쓰임	뜻	조동사	쓰임	뜻
can	가능	2 ______	may	추측	6 ______
	1 ______	~해도 된다		허락	~해도 좋다/된다
	요청	~해 줄 수 있나요?	7 ______	의무	~해야 한다=have[has] to
3 ______	4 ______	~할 것이다		강한 추측	8 ______
	의지	5 ______	should	의무	~해야 한다
	요청	~해 줄 수 있나요?		9 ______	~하는 것이 좋다

긍정문	주어 + 조동사 + 동사원형 ~.
부정문	주어 + 조동사 + 10 ______ + 동사원형 ~.
의문문	조동사 + 주어 + 동사원형 ~?

B 다음 영어는 우리말로, 우리말은 영어로 쓰시오.

1 letter ______
2 mysterious ______
3 clear ______
4 breathe ______
5 appear ______
6 paste ______
7 favorite ______
8 surface ______
9 relationship ______
10 engineer ______
11 맛있는 ______
12 정보 ______
13 점수 ______
14 용서하다 ______
15 창의성 ______
16 기억하다 ______
17 산책하러 가다 ______
18 보여 주다 ______
19 두려워하는 ______
20 빼앗아 버리다 ______

Study Date: ____ / ____

C 보기에서 알맞은 단어를 골라 빈칸에 쓰시오.

보기	rest	during	waste	park	disappear

1 I spent a lot of time with my family __________ the vacation.
(나는 방학 동안 우리 가족과 많은 시간을 보냈다.)

2 The problem won't just __________. (그 문제가 그냥 없어지지는 않을 것이다.)

3 The doctor told her to __________ in bed. (의사는 그녀에게 침대에서 쉬라고 말했다.)

4 Did you __________ your car near the supermarket?
(너는 슈퍼마켓 근처에 차를 주차했니?)

5 We should not __________ water. (우리는 물을 낭비해서는 안 된다.)

D 네모 안에서 어법에 맞는 표현을 고르고, 문장을 해석하시오.

1 Will you help / Will help you me do the dishes?

» ______________________________

2 Tony be must / must be kind and honest.

» ______________________________

3 May I take / Take I may the cake out of the oven?

» ______________________________

4 Janet can writes / is able to write her name in Spanish.

» ______________________________

5 You should be / has to be careful of eating raw fish in summer.

» ______________________________

E 우리말에 맞게 주어진 표현을 바르게 배열하시오.

1 너는 내 숙제를 도와줄 수 있니? help / my homework / you / me / can / with

≫ ______________________________

2 그녀는 쉽게 그를 용서하지 않을 것이다. forgive / easily / won't / him / she

≫ ______________________________

3 그는 오늘 오후에 산책하러 갈지도 몰라. go for a walk / he / this afternoon / may

≫ ______________________________

4 너는 교통 법규를 따라야 한다. must / follow / the traffic rules / you

≫ ______________________________

5 Jane은 과학을 잘하는 것이 틀림없다. science / Jane / be good at / must

≫ ______________________________

6 너는 꿀을 서늘한 장소에 보관해도 된다. keep / in a cool place / may / you / the honey

≫ ______________________________

7 너는 빙판길에서 조심하는 것이 좋다. should / on the icy road / you / be careful

≫ ______________________________

8 가까운 미래에 많은 직업이 사라질 것이다. disappear / in the near future / will / a lot of jobs

≫ ______________________________

Study Date: ______ / ______

F 다음 주어진 표현을 활용하여 문장을 완성하시오.

1 내가 너의 지우개를 빌려도 될까? borrow

» ____________________ your eraser?

2 2주 후에 여름 방학이 끝날 것이다. finish in two weeks

» The summer vacation ____________________.

3 그녀가 가장 좋아하는 과목은 음악일지도 몰라. favorite subject music

» Her ____________________.

4 우리는 시간을 낭비해서는 안 된다. waste our time

» We ____________________.

5 Joe는 5개 언어를 말할 수 있다. speak five languages

» Joe is ____________________.

6 제가 당신과 음악회에 함께 가도 될까요? go with

» ____________________ to the concert?

7 이달 동안 이슬람교도들은 먹거나 마셔서는 안 된다. eat or drink

» Muslims ____________________ during this month.

8 돌고래는 호흡하기 위해 수면 위로 올라와야 한다. come up to the surface

» Dolphins ____________________ to breathe.

Unit 7
명사를 수식하는 어구

A 이 단원에서 배운 내용을 정리하시오.

명사를 수식하는 어구	1 ________	• 명사 앞에서 수식한다. • 2 ________, 3 ________, 4 ________으로 끝나는 대명사는 뒤에서 수식한다.
	현재분사 (동사원형+-ing)	• 의미: 능동, 진행 • 해석: 5 ________, ~하고 있는
	과거분사 (동사원형+-ed)	• 의미: 수동, 완료 • 해석: 6 ________, ~해진
	7 ________의 형용사적 용법	• (대)명사 8 ________에서 수식한다. • 해석: 9 ________, ~하는
	전치사구 (전치사+명사(구))	• 10 ________ 뒤에서 수식한다. • 전치사에는 on, in, at, of, from, for, with 등이 있다.

B 다음 영어는 우리말로, 우리말은 영어로 쓰시오.

1 history ________
2 important ________
3 experience ________
4 cliff ________
5 sweep ________
6 cousin ________
7 colorful ________
8 daughter ________
9 shave ________
10 surprisingly ________
11 낯선 ________
12 (불에) 타다 ________
13 (짐을) 싸다 ________
14 인도, 보도 ________
15 방향 ________
16 선물 ________
17 운동장 ________
18 목소리 ________
19 돌아오다 ________
20 어부 ________

Study Date: ______ / ______

C 보기에서 알맞은 단어를 골라 빈칸에 쓰시오.

보기	something	inside	language	pond	invite

1 Children love to feed the swans in the __________.
(아이들은 연못에 있는 백조에게 먹이 주는 것을 좋아한다.)

2 Learning a new __________ needs much effort.
(새로운 언어를 배우는 것은 많은 노력을 필요로 한다.)

3 Surprisingly, her phone was __________ the belly of a fish.
(놀랍게도 그녀의 전화기는 물고기의 배 속에 있었다.)

4 Is there __________ to eat for dinner? (저녁 식사로 먹을 무언가가 있니?)

5 Who did you __________ to your birthday party? (네 생일 파티에 누구를 초대했니?)

D 네모 안에서 어법에 맞는 표현을 고르고, 문장을 해석하시오.

1 I usually want something sweet / sweetly after a meal.
» ________________________________

2 Look at the fallen / falling stars in the night sky.
» ________________________________

3 My father is going to buy a using / used car soon.
» ________________________________

4 Judy will buy a dress to wear / to wearing to the party.
» ________________________________

5 Peter lives in the house for / with a red door.
» ________________________________

E 우리말에 맞게 주어진 표현을 바르게 배열하시오.

1 그는 재미있는 무언가를 찾고 있다. looking for / something / he / fun / is

≫ ______________________________

2 그 놀란 사람들은 소리를 크게 질렀다. loudly / surprised / shouted / people / the

≫ ______________________________

3 우리 마을에 있는 식당들은 매우 좋다. very / are / in my town / nice / restaurants

≫ ______________________________

4 여행 가방에 싸야 할 많은 것들이 있다. things / lots of / in a suitcase / to pack / there are

≫ ______________________________

5 너는 긴 머리를 가진 그 소녀를 알고 있니? the girl / do / with long hair / know / you

≫ ______________________________

6 그는 어제 그의 딸로부터 편지 한 통을 받았다.

received / a letter / from / he / yesterday / his daughter

≫ ______________________________

7 모든 여성과 어린이들은 면도한 머리를 하고 있다.

and / all the women / a shaved head / children / have

≫ ______________________________

8 그는 많은 아이들의 목숨을 구했다. many / saved / he / children's lives

≫ ______________________________

Study Date: ______ / ______

F 다음 주어진 표현을 활용하여 문장을 완성하시오.

1 우리는 오늘 아침에 놀라운 소식을 들었다. hear surprise news

» ______________________ this morning.

2 너는 하늘에 날고 있는 연을 볼 수 있니? see fly a kite

» Can ______________________ in the sky?

3 그 지친 남자는 휴식을 취하고 싶다. tire take a break

» The ______________________.

4 Jason은 의지할 누군가가 필요하다. someone rely on

» Jason needs ______________________.

5 누가 탁자 위에 있던 사과를 먹었니? the apples the table

» Who ate ______________________?

6 놀이터에 있는 아이들은 행복해 보인다. the children the playground

» ______________________ look happy.

7 이것은 한 운 좋은 사람에 대한 흥미로운 이야기이다. interesting a lucky man

» This is ______________________.

8 그 아이들은 꽃을 살 돈이 없다. have any money buy

» The children ______________________ flowers.

Unit 8
부사 역할을 하는 어구

A 이 단원에서 배운 내용을 정리하시오.

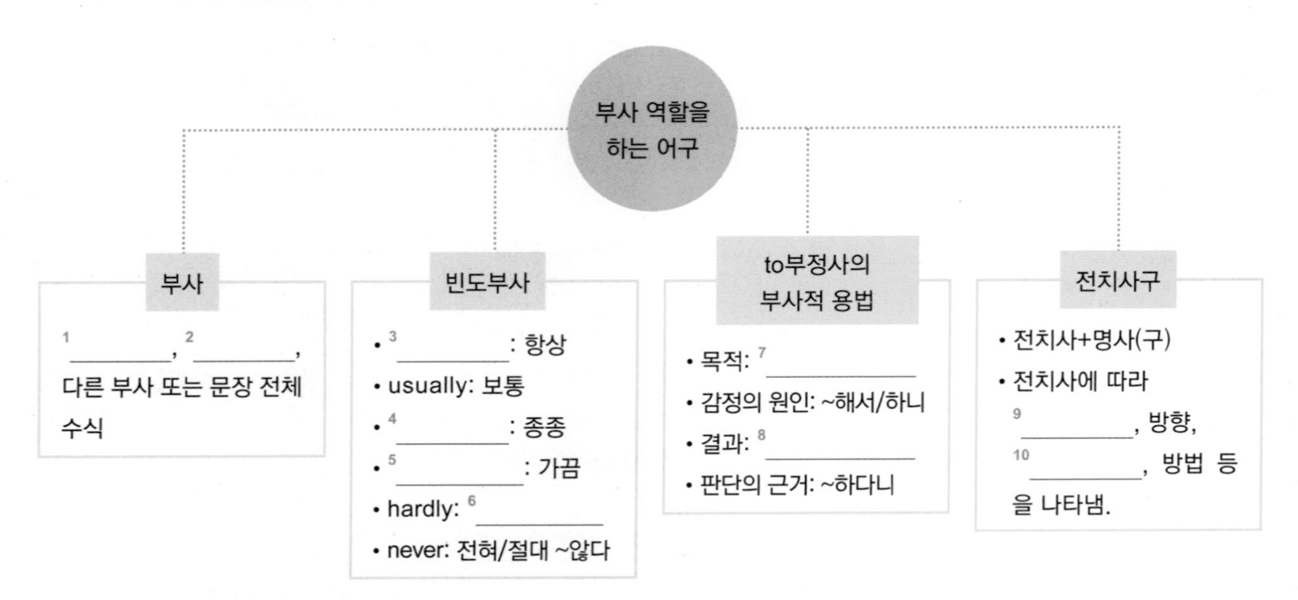

부사 역할을 하는 어구
부사
1 ________, 2 ________,
다른 부사 또는 문장 전체 수식
빈도부사
• 3 ________: 항상
• usually: 보통
• 4 ________: 종종
• 5 ________: 가끔
• hardly: 6 ________
• never: 전혀/절대 ~않다
to부정사의 부사적 용법
• 목적: 7 ________
• 감정의 원인: ~해서/하니
• 결과: 8 ________
• 판단의 근거: ~하다니
전치사구
• 전치사+명사(구)
• 전치사에 따라 9 ________, 방향, 10 ________, 방법 등을 나타냄.

B 다음 영어는 우리말로, 우리말은 영어로 쓰시오.

1 chopsticks ________
2 ill ________
3 ladder ________
4 knock ________
5 unlikely ________
6 firefighter ________
7 immediately ________
8 fireworks ________
9 nervous ________
10 medicine ________
11 말하기, 웅변 ________
12 (빵 등을) 굽다 ________
13 피하다 ________
14 치료하다 ________
15 대통령 ________
16 오르다 ________
17 홍수 ________
18 나비 ________
19 만들다 ________
20 넘치다 ________

Study Date: ____ / ____

C 보기에서 알맞은 단어를 골라 빈칸에 쓰시오.

보기	lose	hardly	foreigner	leave	mistake

1 I helped a ________ find her way yesterday. (나는 어제 외국인이 길 찾는 것을 도와줬다.)

2 Danny wants to ________ the city to live in a quiet place.
(Danny는 조용한 곳에서 살기 위해 도시를 떠나고 싶어 한다.)

3 My grandmother ________ skips breakfast. (우리 할머니는 거의 아침 식사를 거르지 않으신다.)

4 Becky often ________s her bag on the subway.
(Becky는 종종 그녀의 가방을 지하철에서 잃어버린다.)

5 He dropped the cup from the desk by ________. (그는 실수로 책상에서 컵을 떨어뜨렸다.)

D 네모 안에서 어법에 맞는 표현을 고르고, 문장을 해석하시오.

1 The dog moved his tail quick / quickly .
» ________________________________

2 It always is / is always fun to meet new people.
» ________________________________

3 Jenny felt very sorry to lose / lose my eraser.
» ________________________________

4 Something heavy fell down with / from the roof.
» ________________________________

5 We will have a barbecue party near / on the park.
» ________________________________

E 우리말에 맞게 주어진 표현을 바르게 배열하시오.

1 Jamie는 오늘 아침에 꽤 아팠다. quite / was / this morning / Jamie / sick

» ______________________________

2 나는 절대 같은 실수를 다시 하지 않을 것이다.
will / make / I / the same mistake / never / again

» ______________________________

3 그 선물을 받다니 너는 운이 좋은 게 틀림없다. lucky / the present / you / to get / must be

» ______________________________

4 그 책은 이해하기 어려웠다. difficult / the book / to understand / was

» ______________________________

5 Lisa는 버스를 타고 해변에 갔다. bus / to / went / by / Lisa / the beach

» ______________________________

6 우리 삼촌은 주말마다 산에 오르신다. climbs / my uncle / on weekends / the mountains

» ______________________________

7 흐르는 물은 절대 걸어서 지나가지 마라. moving / walk through / water / never

» ______________________________

8 우리 아버지는 가끔 걸어서 출근하신다. goes to / on foot / sometimes / my father / work

» ______________________________

Study Date: ____ / ____

F 다음 주어진 표현을 활용하여 문장을 완성하시오.

1 그 기차는 역을 천천히 떠날 것이다. leave the station slow

» The train ______________________________.

2 우리 어머니는 우리에게 패스트푸드를 거의 주지 않으신다. give fast food

» My mother ______________________________.

3 그 작은 소녀는 자라서 화가가 되었다. grow up an artist

» The little girl ______________________________.

4 그녀는 숙제를 하기 위해 TV를 껐다. turn off the TV do homework

» She ______________________________.

5 우리 집 근처에 유명한 빵집이 있다. a famous bakery my house

» There is ______________________________.

6 Nick은 매일 아침 6시에 일어난다. get up six o'clock

» Nick ______________________ every morning.

7 당신은 그 사실을 알면 놀랄 것이다. surprise know the fact

» You will be ______________________________.

8 나는 종종 시험 전에 초조함을 느낀다. nervous a test

» I ______________________________.

Unit 9
여러 가지 연결 어구

A 이 단원에서 배운 내용을 정리하시오.

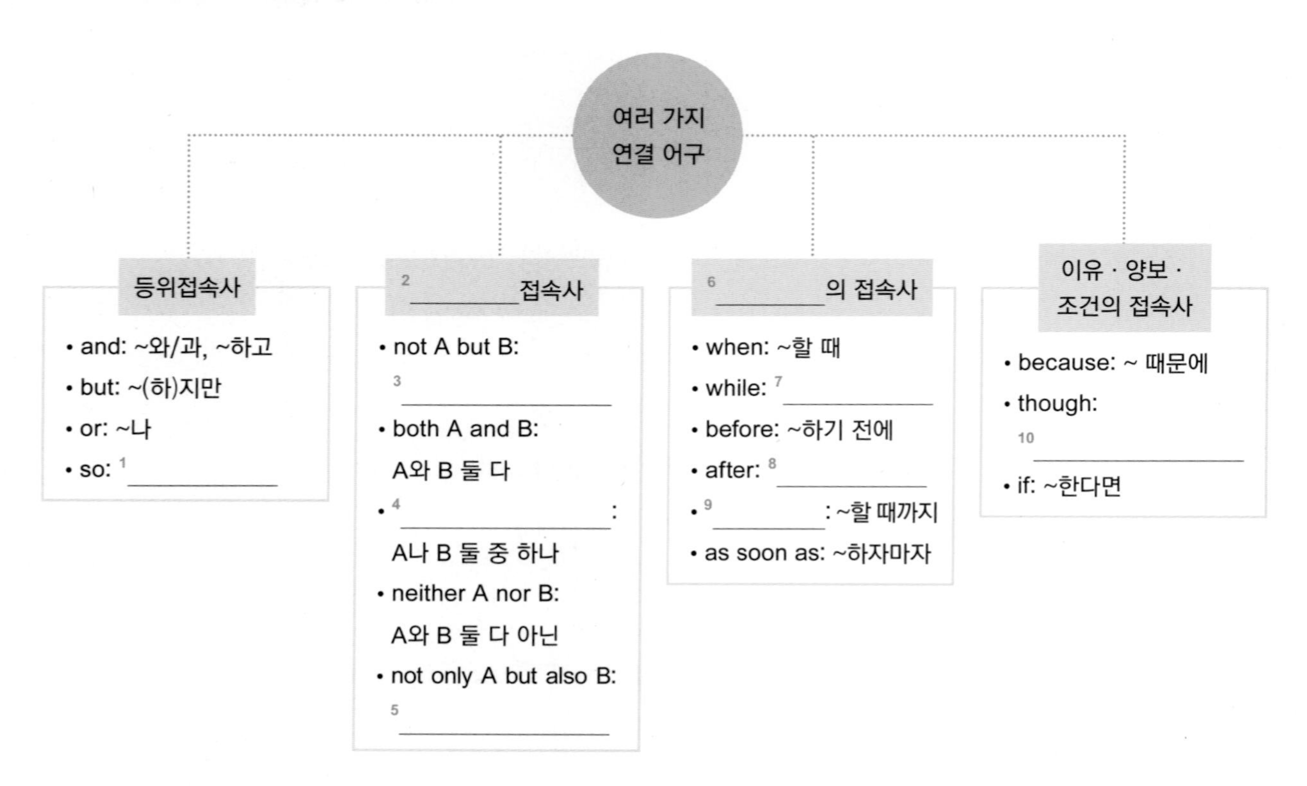

여러 가지 연결 어구
등위접속사
• and: ~와/과, ~하고
• but: ~(하)지만
• or: ~나
• so: 1 ____________
2 ________접속사
• not A but B:
3 ____________
• both A and B:
A와 B 둘 다
• 4 ____________:
A나 B 둘 중 하나
• neither A nor B:
A와 B 둘 다 아닌
• not only A but also B:
5 ____________
6 ________의 접속사
• when: ~할 때
• while: 7 ____________
• before: ~하기 전에
• after: 8 ____________
• 9 ________: ~할 때까지
• as soon as: ~하자마자
이유 · 양보 · 조건의 접속사
• because: ~ 때문에
• though:
10 ____________
• if: ~한다면

B 다음 영어는 우리말로, 우리말은 영어로 쓰시오.

1 afraid	____________	11 가라앉다	____________
2 sweep	____________	12 부지런한	____________
3 spread	____________	13 기침하다	____________
4 germ	____________	14 역사	____________
5 toothache	____________	15 사냥하다	____________
6 problem	____________	16 도둑	____________
7 turn off	____________	17 두드리다	____________
8 artificial	____________	18 이론	____________
9 explain	____________	19 (해·달이) 뜨다	____________
10 decorate	____________	20 ~을 다 써 버리다	____________

C 보기에서 알맞은 단어를 골라 빈칸에 쓰시오.

보기: carry cross recycle share light

1 My backpack is very ________ to lift today. (내 배낭은 오늘 들기에 아주 가볍다.)

2 The police in many countries ________ guns. (많은 나라에서 경찰관들은 총을 가지고 다닌다.)

3 It is important to ________ to protect the Earth.
(지구를 보호하기 위해 재활용을 하는 것은 중요하다.)

4 The man is waiting to ________ the street. (그 남자는 길을 건너려고 기다리고 있다.)

5 Don't ________ water bottles or drinks with others.
(다른 사람들과 물병이나 음료를 나누어 마시지 마라.)

D 네모 안에서 알맞은 표현을 고르고, 문장을 해석하시오.

1 Both Jenny or / and Kale raised their hands.
» ________________________________

2 I have a little time while / before the class begins.
» ________________________________

3 I will be very angry though / if I make the same mistake.
» ________________________________

4 He watched neither / either the movie nor the play.
» ________________________________

5 Though / Because he is poor, he never gives up his dream.
» ________________________________

E 우리말에 맞게 주어진 표현을 바르게 배열하시오.

1 이 목걸이는 예쁘지만 비싸다. pretty / this necklace / expensive / is / but

»

2 내가 거기에 자동차나 버스로 갈 수 있나요? by car / can / go there / by bus / I / or

»

3 Jenny와 Tony 중 한 명이 그 문제를 풀 것이다.

the question / Jenny / will / either / Tony / solve / or

»

4 James는 가수가 아니라 배우이다. not / is / an actor / James / a singer / but

»

5 컴퓨터를 끄기 전에 네 파일을 저장해라.

your files / before / save / turn off / you / the computer

»

6 아이들은 어두워질 때까지 놀았다. played / until / was / the children / dark / it

»

7 화장실을 사용한 후에는 비누로 손을 씻어라.

after / your hands / with soap / wash / the bathroom / use / you

»

8 아침 해가 떴을 때, 그 거미줄은 은과 금으로 변했다.

rose / the morning sun / turned / when / the web / silver and gold

»

Study Date: ____ / ____

F 다음 주어진 표현을 활용하여 문장을 완성하시오.

1 너는 언제든지 내 사무실을 방문하거나 전화할 수 있어. visit my office call me

» You can ______________________________ anytime.

2 Bob은 정직할 뿐만 아니라 부지런하다. honest diligent

» Bob is ______________________________.

3 운동은 몸과 마음 둘 다에 좋다. be good for body mind

» Exercise ______________________________.

4 나는 항상 숙제를 마친 후에 휴식을 취한다. take a rest finish my homework

» I always ______________________________.

5 우리 아버지가 책을 읽으시는 동안 나는 잠이 들었다. fall asleep read a book

» I ______________________________.

6 우리가 종이를 재활용한다면 우리는 많은 나무를 구할 수 있다. recycle paper save a lot of trees

» ________ we ________________, we ________________.

7 나는 이 머플러가 아니라 저 스카프를 사고 싶다. this muffler that scarf

» I want to buy ______________________________.

8 비록 그들의 크리스마스트리가 아름답지는 않았지만, 그들은 항상 행복했다. beautiful always happy

» ________ their Christmas tree ________________, they ________________.

Unit 10
여러 가지 비교 표현

A 이 단원에서 배운 내용을 정리하시오.

여러 가지 비교 표현

원급 비교
- as+형/부+as: 1 ____________
- 2 ______ as[so]+형/부+as: ~만큼 …하지 않은/않게

비교급 비교
- 형태: 형/부+3 ______, 4 ______+형/부
- 형/부의 비교급+5 ______: ~보다 더 …한/하게

최상급 비교
- 형태: 형/부+6 ______, 7 ______+형/부
- the+형/부의 최상급 ~ (in[of] 명사(구)): 8 ____________

기타 비교 표현
- 배수사+as+원급+as/배수사+비교급+than: 9 ____________
- the+비교급 ~, the+10 ______ …: ~할수록 더 …하다
- get+비교급+and+비교급: 점점 더 ~해지다
- as+원급+as possible: 가능한 한 ~한/하게

* 형용사/부사 → 형/부

B 다음 영어는 우리말로, 우리말은 영어로 쓰시오.

1 useful ____________
2 complete ____________
3 sentence ____________
4 grass ____________
5 choose ____________
6 figure out ____________
7 edible ____________
8 closet ____________
9 include ____________
10 college ____________
11 비싼 ____________
12 집안일 ____________
13 사막 ____________
14 습성, 습관 ____________
15 민감한 ____________
16 어려운 ____________
17 도달하다 ____________
18 영향 ____________
19 껍질 ____________
20 두 배로 ____________

Study Date: ______ / ______

C 보기에서 알맞은 단어를 골라 빈칸에 쓰시오.

보기	cover	except	get out of	different	helpful

1 The doctor said drinking warm water is ________.
(의사는 따뜻한 물을 마시는 것이 도움이 된다고 말했다.)

2 The mail arrives at noon every day ________ Sunday.
(편지는 일요일을 제외하고 매일 정오에 도착한다.)

3 Snow ________s the top of the mountain all year round. (눈은 일 년 내내 산꼭대기를 뒤덮고 있다.)

4 The police man asked me to ________ the car. (경찰관은 나에게 차에서 나오라고 요청했다.)

5 They planted many ________ colors of roses in the garden.
(그들은 정원에 여러 가지 색의 장미를 심었다.)

D 네모 안에서 어법에 맞는 표현을 고르고, 문장을 해석하시오.

1 His room is twice as large / largely as my room.
» ______________________________

2 Health is the much / most important thing in life.
» ______________________________

3 This sofa is more / most comfortable than that one.
» ______________________________

4 The more you get, the many / more you want to have.
» ______________________________

5 The price of computers is getting cheaper and / or cheaper.
» ______________________________

E 우리말에 맞게 주어진 표현을 바르게 배열하시오.

1 여기에서는 야구가 축구만큼 인기 있다. popular / as / baseball / as / here / soccer / is

» ______________________________

2 내 가방은 그 여행 가방만큼 무겁다. the suitcase / heavy / as / my bag / is / as

» ______________________________

3 나는 오늘 아침에 언니보다 더 일찍 일어났다.

this morning / than / my sister / got up / I / earlier

» ______________________________

4 Brad는 그녀의 친구들 중에 가장 용감한 소년이다.

of / boy / Brad / is / the bravest / her friends

» ______________________________

5 세계가 점점 더 좁아지고 있다. is / the world / smaller / getting / smaller / and

» ______________________________

6 더 많이 연습할수록, 너는 더 나아질 것이다.

the better / practice / you / will be / you / the more

» ______________________________

7 사하라 사막은 지금만큼 건조하지 않았다. it / the Sahara / as dry as / wasn't / is / now

» ______________________________

8 그것은 진짜 이빨만큼 크거나 단단하지는 않다.

as / is / not / a real tooth / big or hard / as / it

» ______________________________

Study Date: ____ / ____

F 다음 주어진 표현을 활용하여 문장을 완성하시오.

1 이 반지는 그 목걸이만큼 비싸다. expensive the necklace

» This ring is ______________________________.

2 Peter는 그의 아버지보다 운전을 더 조심스럽게 한다. drive carefully

» Peter ______________________________ his father.

3 Jane은 반에서 수수께끼를 가장 빠르게 풀었다. solve the puzzle fast

» Jane ______________________________ in the class.

4 오토바이는 자전거보다 네 배 더 빠르다. four fast a bike

» A motorcycle is ______________________________.

5 Jake는 그가 할 수 있는 한 빨리 거실을 청소 중이다. clean the living room quickly

» Jake is ______________________________ he can.

6 재즈와 클래식은 식물에게 가장 도움이 되었다. helpful the plants

» Jazz and classical ______________________________.

7 나에게 가능한 한 빨리 그 편지를 보내 줄 수 있니? send the letter soon

» Can you ______________________________?

8 너구리의 앞발은 다른 동물들의 앞발보다 더 민감하다. sensitive other animals' paws

» Raccoons' paws are ______________________________.

memo

바로 읽는 구문 독해

바로
읽는
구문
독해

ANSWERS

CHUNJAE
EDUCATION, INC.

바로 읽는 구문 독해

Unit 1 문장의 구조 알기

STEP 1 ≫ 구문 Start

pp. 14~15

01 바로 예문

1 The stars twinkle.
별이 반짝거린다.

2 I live in Daejeon.
나는 대전에 살아.

3 You look tired.
너는 피곤해 보여.

4 Emily is a student.
Emily는 학생이다.

바로 훈련

5 My uncle goes to work at eight.
우리 삼촌은 8시에 직장에 간다.

6 These noodles taste salty.
이 국수는 짠맛이 난다.

7 A dog sits in front of the house.
개 한 마리가 집 앞에 앉아 있다.

8 Her idea sounds great.
그녀의 생각은 멋지게 들린다.

9 The koala sleeps most of the day.
코알라는 하루의 대부분을 잔다.

02 바로 예문

1 She makes spaghetti for her family.
그녀는 가족을 위해 스파게티를 만든다.

2 My sister has in-line skates.
우리 여동생은 인라인 스케이트를 가지고 있다.

3 I visit my grandparents on Sundays.
나는 일요일마다 내 조부모님을 방문한다.

4 Tony learns Chinese during the vacation.
Tony는 방학 동안에 중국어를 배운다.

바로 훈련

5 Jessie plays the drums on Saturdays.
Jessie는 토요일마다 드럼을 친다.

6 My brother keeps a diary every day.
우리 형은 매일 일기를 쓴다.

7 I meet my friends in the bookstore.
나는 서점에서 친구들을 만난다.

8 Tim wants a smartphone for his birthday present.
Tim은 생일 선물로 스마트폰을 원한다.

9 The teacher sends an e-mail to all of the students.
선생님은 모든 학생들에게 이메일을 보내신다.

STEP 2 ≫ 독해력 Upgrade

pp. 16~17

1

This / looks / like a cloud, / but ❶ it / tastes / **very sweet**. You / can see / it / in amusement parks or circuses.
이것은 구름처럼 보이지만, 매우 달콤한 맛이 난다. 여러분은 그것을 놀이공원이나 서커스에서 볼 수 있다.
Most of you / have eaten / it. What is / this? Yes, / ❷ it / is / **cotton candy**. Do you / know / who / made / this
지 여러분들 대부분은 그것을 먹어 봤다. 이것은 무엇일까? 맞다, 그것은 솜사탕이다. 여러분은 이 맛있는 사탕을 누가 만들었는
delicious candy? William Morrison and his friend / invented / the first cotton candy machine / in 1897. Cotton
아는가? William Morrison과 그의 친구는 1897년에 최초의 솜사탕 기계를 발명했다. 솜사탕
candy / was first introduced / at the St. Louis World Fair / in 1904. A box / was / 25 cents, / and it / was / half the
은 1904년 St. Louis 세계 박람회에서 처음으로 소개되었다. 한 상자에 25센트였고, 그것은 박람회 입장권 가격의
price of an admission ticket / to the fair. But curious visitors / bought / more than 68,000 boxes! Believe / it or not, /
절반이나 되었다. 하지만 호기심 많은 방문객들은 6만 8천 상자 이상을 샀다! 믿거나 말거나 이 100%
William Morrison, / the inventor of this 100% sugary stuff, / was / a dentist!
설탕 덩어리의 발명가인 William Morrison은 치과 의사였다!

정답 ④

문제 해설 주어진 문장은 솜사탕 한 상자는 25센트이고, 박람회 입장권 가격의 절반이어서 가격이 비쌌다는 것을 나타내므로 그다음 이어질 문장은 '하지만 호기심 많은 방문객들은 6만 8천 상자 이상을 샀다'는 내용이 오는 것이 자연스럽다. 그러므로 ④가 알맞다.

구문 해설 ❶ 동사 tastes 다음에 형용사구인 very sweet가 보어로 온 2형식 문장이다.
❷ be동사 is 다음에 명사구인 cotton candy가 보어로 온 2형식 문장이다.

2

Frogs / are not / usually good parents. ❶ **Mother frogs** / **lay** / **their eggs** / and then go away. ❷ **Father frogs** / **never go** / **near the eggs**. Glass frogs, / on the other hand, / are / famous because they / are / special parents. These frogs, / both mother and father, / stay / with the eggs / until the tadpoles / are born. Mother frogs / soak up / water / and give / it / to the eggs. Then the eggs / grow / very thick / and their enemies, snakes and birds, / can't eat / them. Also, father frogs / protect / their eggs / from their enemies. Thanks to their parents' good care, / the eggs / survive / better than other frogs' eggs.

개구리는 보통 좋은 부모가 아니다. 엄마 개구리는 알을 낳고 나서 떠나 버린다. 아빠 개구리는 알 근처에 전혀 가지 않는다. 반면에, 유리 개구리는 특별한 부모이기 때문에 유명하다. 이 개구리들은 엄마, 아빠 모두 올챙이가 태어날 때까지 알과 함께 머문다. 엄마 개구리는 물을 흡수해서 알에게 전해 준다. 그러면 알이 매우 두꺼워져서 그들의 천적인 뱀이나 새가 알을 먹을 수 없다. 또한, 아빠 개구리는 그들의 천적으로부터 알을 보호한다. 그들 부모의 좋은 보살핌 덕분에, 이 알들은 다른 개구리의 알들보다 더 잘 살아남는다.

정답 ④

문제 해설 글 전체의 주제가 '좋은 부모인 유리 개구리'이며, 아빠와 엄마 개구리가 알을 보호하기 위해 노력한다는 내용의 글이다. 따라서 빈칸에 들어갈 내용은 글 전체를 요약하는 문장이므로 ④ '그들 부모의 좋은 보살핌' 덕분에 알들이 잘 살아남는다는 것이 자연스럽다.
① 그들의 빠른 성장 ② 천적들의 죽음 ③ 그들의 특별한 피부색 ⑤ 충분한 먹이와 물

구문 해설 ❶ 동사 lay 다음에 their eggs가 목적어로 온 3형식 문장이다.
❷ 동사 go는 혼자 쓰여도 의미가 완전한 1형식 동사이다.

STEP 1 ≫ 구문 Start

pp. 18~19

03 바로 예문

1 Jake asks the teacher many questions.
Jake는 선생님께 많은 질문을 한다.

2 My friend made me a skirt.
내 친구는 나에게 치마를 만들어 주었다.

3 My aunt teaches children English at school.
우리 이모는 학교에서 아이들에게 영어를 가르친다.

4 Olivia sent me a letter yesterday.
Olivia는 어제 나에게 편지를 보냈다.

바로 훈련

5 My mother buys me a swimsuit in summer.
우리 어머니는 여름에 나에게 수영복을 사 주신다.

6 The magician showed children an empty box.
그 마술사는 아이들에게 빈 상자를 보여 주었다.

7 David lent her his umbrella.
David는 그녀에게 그의 우산을 빌려주었다.

8 He made us a robot in class.
그는 수업 시간에 우리에게 로봇을 만들어 주셨다.

9 Can you bring me some water?
물을 좀 가져다 줄 수 있니?

04 바로 예문

1 Thick clothes keep people warm.
두꺼운 옷은 사람들을 따뜻하게 유지해 준다.

2 The news makes me sad.
그 소식은 나를 슬프게 만든다.

3 I found the exam difficult.
나는 그 시험을 어렵게 느꼈다.

4 Chris named his cat Mango.
Chris는 그의 고양이를 Mango라고 이름 지었다.

바로 훈련

5 Flowers make me happy.
꽃들은 나를 행복하게 만든다.

6 Some students find science easy.
몇몇 학생은 과학을 쉽게 느낀다.

7 His fans call him Superman.
그의 팬들은 그를 Superman이라고 부른다.

8 I always keep my room clean.
나는 항상 내 방을 깨끗하게 유지한다.

9 Jenny named her daughter Cathy.
Jenny는 그녀의 딸을 Cathy라고 이름 지었다.

3

People in Bologna, Italy, / gave / their city / three nicknames. The first one / is / "The Red." This name / comes / from the many red-colored buildings / in Bologna. **The red buildings / give / the city / a unique coloring**. Also, Bologna / is known / as "The Wise" / because it / has / the oldest university / in Europe. The University of Bologna / was founded / in 1088 / and is / still an important cultural center / in Italy. Finally, some people / like / to call Bologna / "The Fat." This city / is / a paradise for food lovers / and the hometown of Bolognese pasta. These nicknames / explain / Bologna very well.

이탈리아의 볼로냐 사람들은 그들의 도시에 세 개의 별명을 주었다. 첫 번째는 '붉은 도시'이다. 이 이름은 볼로냐에 있는 붉은 색조의 많은 건물들에서 비롯된다. 그 붉은 건물들은 도시에 독특한 색감을 준다. 또한, 볼로냐는 유럽에서 가장 오래된 대학이 있어 '똑똑한 도시'로 알려져 있다. 볼로냐 대학은 1088년에 설립되었으며, 여전히 이탈리아의 중요한 문화적 중심지이다. 마지막으로 어떤 사람들은 볼로냐를 '뚱뚱한 도시'라고 부르기를 좋아한다. 이 도시는 음식 애호가들에게 천국이며, 볼로네이즈 파스타의 고향이다. 이 별명들은 볼로냐를 매우 잘 설명해 준다.

정답 ③

문제 해설 이탈리아의 볼로냐라는 도시의 별명을 설명하는 글이다. 첫 번째 별명에 이어 두 번째 별명을 추가하여 설명하고 있으므로 (A) 'Also(또한)'가 적절하며, 마지막 별명을 설명하기에 앞서 (B) 'Finally(마지막으로)'라고 하는 것이 자연스럽다.

구문 해설 동사 give 다음에 간접목적어인 the city와 직접목적어인 a unique coloring이 온 4형식 문장이다.

4

❶ **How can / you / keep / your food / fresh / on a very hot day** / when you / don't have / a refrigerator? A teacher in Nigeria / invented / a new cooler. You / don't need / any ice. It / is / a "pot-in-pot" cooler. It / is made / of two clay pots / with wet sand / between them. It / also has / a wet cloth or lid on top. This cooler / can keep / fruits and vegetables / fresh / for three weeks or more. ❷ **People in Nigeria / find / this cooler / amazing** / because electricity / is not used, / and it / is / very cheap to make. Now this cooler / is widely used / in other African countries / as well as in Nigeria.

당신은 냉장고가 없을 때 매우 더운 날 어떻게 음식을 신선하게 보관할 수 있을까? 나이지리아의 한 선생님이 새로운 냉장고를 발명했다. 당신은 얼음이 전혀 필요 없다. 그것은 '항아리 속 항아리' 냉장고이다. 그것은 두 개의 토기 항아리 사이에 젖은 모래가 들어있는 형태로 만들어졌다. 그것은 또한 맨 위에 젖은 천이나 뚜껑이 있다. 이 냉장고는 과일과 채소를 3주 혹은 그 이상 신선하게 보관할 수 있다. 나이지리아 사람들은 이 냉장고가 전기가 사용되지 않고, 만들기에 가격이 매우 저렴하기 때문에 놀랍게 느낀다. 이제 이 냉장고는 나이지리아뿐만 아니라 다른 아프리카 국가에서도 널리 사용된다.

정답 ice[electricity], electricity[ice], cheap

문제 해설 새로운 냉장고는 얼음과 전기가 필요 없고, 만들기에 가격이 저렴하다고 했으므로 ice[electricity], electricity[ice], cheap이 알맞다.
(→ 새로운 냉장고는 얼음[전기]이나 전기[얼음]가 필요 없고, 만들기에 가격이 저렴하기 때문에 훌륭하다.)

구문 해설 ❶ 동사 keep 다음에 your food가 목적어, fresh가 목적격보어로 온 5형식 문장이다.
❷ 동사 find 다음에 this cooler가 목적어, amazing이 목적격보어로 온 5형식 문장이다.

STEP 3 ≫ 구문 Master

p. 22

구문+어법

1 4형식
2 2형식
3 3형식
4 5형식
5 1형식
6 4형식
7 2형식
8 5형식

구문 분석 노트

1 ① 목적격보어 ② 5형식 ③ 놀라게
2 ① 직접목적어 ② 4형식 ③ 작은 공을 주었다
3 ① 주격보어 ② 2형식 ③ 시고 단맛이 난다
4 ① 목적어 ② 3형식 ③ 카드를 쓴다

구문+어법 해석/해설

1 나는 그녀에게 예쁜 반지를 줄 것이다.
동사 give 다음에 간접목적어, 직접목적어가 온 4형식 문장이다.

2 그녀는 매우 행복해 보인다.
동사 looks 다음에 주격보어가 온 2형식 문장이다.

3 그는 너에게 이메일을 보냈다.
동사 sent 다음에 목적어가 온 3형식 문장이다.

4 우리는 그 책을 흥미롭게 느꼈다.
동사 found 다음에 목적어와 목적격보어가 온 5형식 문장이다.

5 태양은 동쪽에서 뜬다.
동사 rises만으로 의미가 완전한 1형식 문장이다.

6 Smith 씨는 우리에게 수학을 가르친다.
동사 teaches 다음에 간접목적어와 직접목적어가 온 4형식 문장이다.

7 그녀의 농담은 매우 웃기다.
be동사 are 다음에 주격보어가 온 2형식 문장이다.

8 그 TV쇼는 그들을 유명하게 만들었다.
동사 made 다음에 목적어와 목적격보어가 온 5형식 문장이다.

WORKBOOK

pp. 2~5

A
1. 동사 2. 목적어 3. 동사
4. 주격보어 5. 목적어 6. 간접목적어
7. 직접목적어 8. 목적어 9. 목적격보어

B
1. 목이 마른 2. 방학 3. 선물
4. 소개하다 5. 반짝거리다 6. 마술사
7. 충분한 8. 항상 9. 독특한
10. 만들어 내다 11. bookstore 12. keep a diary
13. invent 14. thick 15. survive
16. empty 17. difficult 18. hometown
19. cheap 20. wet

C
1. taste 2. make 3. lend
4. keep 5. learn

D
1. sweet, 이 수프는 아주 단맛이 난다.
2. interesting, 나는 그 소식을 흥미롭게 느꼈다.
3. me English, 우리 언니는 나에게 영어를 가르쳐 준다.
4. a hamburger for, 그는 점심으로 햄버거를 먹었다.
5. sad, 이 드라마는 나를 슬프게 만든다.

E
1. A cat sleeps in front of the house.
2. This lemon juice tastes sour.
3. Emily learns Chinese during the winter vacation.
4. The present made Tony happy.
5. Many students found the math exam difficult.
6. My teacher wrote every student a Christmas card.
7. Father frogs protect their eggs from their enemies.
8. The red buildings give the city a unique coloring.

F
1. noodles taste salty
2. keeps a diary
3. bought me a new backpack
4. keep my room clean
5. bring us a bottle of water
6. called the dog Harry
7. tastes very sweet
8. find this cooler amazing

Unit 2 주어와 목적어 자리에 오는 것

STEP 1 ≫ 구문 Start

pp. 24~25

01 바로 예문

1 Sydney is a beautiful city.
시드니는 아름다운 도시이다.

2 My family goes on a picnic in spring.
우리 가족은 봄에 소풍을 간다.

3 He likes comic books.
그는 만화책을 좋아한다.

4 That is my uncle's new car.
저것은 우리 삼촌의 새 자동차이다.

바로 훈련

5 Liam helps his parents after school.
Liam은 방과 후에 부모님을 돕는다.

6 Water doesn't run in this river.
이 강에는 물이 흐르지 않는다.

7 This hat is a present for my father.
이 모자는 우리 아버지를 위한 선물이다.

8 My friends like to play Internet games.
내 친구들은 인터넷 게임하는 것을 좋아한다.

9 We close our store on Sundays.
우리는 일요일마다 가게를 닫는다.

02 바로 예문

1 Riding a horse is fun.
말을 타는 것은 재미있다.

2 To stay home alone is boring.
집에 혼자 있는 것은 지루하다.

3 Taking care of pets is not easy.
애완동물을 돌보는 것은 쉽지 않다.

4 To help others makes me happy.
다른 사람들을 돕는 것은 나를 행복하게 한다.

바로 훈련

5 Traveling to other countries is exciting.
다른 나라로 여행하는 것은 흥미롭다.

6 To run along the beach feels great.
해변을 따라 달리는 것은 기분이 좋다.

7 Shopping for food online is simple.
식료품을 온라인으로 사는 것은 간단하다.

8 To choose good books is difficult.
좋은 책을 고르는 것은 어렵다.

9 Sleeping enough is important for your growth.
잠을 충분히 자는 것은 네 성장에 중요하다.

STEP 2 ≫ 독해력 Upgrade

pp. 26~27

1

Paula and her husband Chris / heard / crying. It / was coming / from Tommy's room. Tommy / was crying / a lot.
Paula와 그녀의 남편 Chris는 우는 소리를 들었다. 그것은 Tommy의 방에서 나고 있었다. Tommy가 심하게 울고 있었다.
❶ They / ran / into the room. Tommy / said, / "Mommy, / I / ate / a five-cent coin. I / am going to die." Calming him
그들은 방으로 달려 들어갔다. "엄마, 저 5센트짜리 동전을 먹었어요. 저는 죽을 거예요."라고 Tommy가 말했다. 그를 진정시키
down / was / difficult. So ❷ Chris / took / a five-cent coin / out from his pocket. He / put / it / on his palm. Then he /
는 것은 어려웠다. 그래서 Chris는 그의 주머니에서 5센트짜리 동전을 하나 꺼냈다. 그는 그것을 손바닥 위에 놓았다. 그리고
did / a magic trick: / he / made / it / disappear / from Tommy's ear. Soon Tommy / became / happy. But suddenly
나서 그는 마술 묘기를 부렸다. 그는 Tommy의 귀에서 그것을 사라지게 만들었다. 곧 Tommy는 행복해했다. 하지만 갑자기
he / took / the coin / from his father's hand / and ate / it. Then he / said / happily, / "Daddy, / do / it again!"
그는 아버지의 손에서 동전을 가져가더니 그것을 먹었다. 그리고 "아빠, 다시 해 주세요!"라고 행복하게 말했다.

정답 ⑤

문제 해설 ⑤를 제외한 나머지는 모두 동전(a five-cent coin)을 가리키고, ⑤는 동전 마술 묘기(a magic trick)를 가리킨다.

구문 해설 ❶ 대명사인 They가 주어 자리에 왔다.
❷ 명사인 Chris가 주어 자리에 왔다.

2

Have / you / ever seen / people talking and smiling / in a very hot room? Some of your parents / probably like / having a sauna. Finnish people / love / saunas / much more than us. There are / over three million saunas / in Finland, / and this number / is / almost half of the population of Finland! So, ❶ **to find saunas in Finland** / is / not difficult. Almost every house / has / a sauna, / and even some churches / have / their own sauna too. ❷ **Relaxing in a sauna** / is / an important part of Finnish people's life. They / think / of Saturday / as "sauna day." They / feel / relaxed, / enjoying their saunas and having dinner / with friends and family.

아주 뜨거운 방에 웃으며 이야기하고 있는 사람들을 본 적이 있니? 아마도 당신의 부모님 중 몇몇 분도 사우나 하는 것을 좋아하실 거다. 핀란드 사람들은 우리보다 훨씬 사우나를 좋아한다. 핀란드에는 300만 개가 넘는 사우나가 있고, 이 숫자는 핀란드 인구의 거의 절반이다! 그래서 핀란드에서 사우나를 찾는 것은 어렵지 않다. 거의 모든 집에 사우나가 있고, 심지어 몇몇 교회에도 사우나가 있다. 사우나에서 휴식하는 것은 핀란드 사람들의 삶에 중요한 일부이다. 그들은 토요일을 '사우나 하는 날'로 생각한다. 그들은 사우나를 즐기고, 친구나 가족과 저녁을 먹으며 휴식한다.

정답 ④

문제 해설 이 글은 핀란드인들이 얼마나 사우나를 즐기고 좋아하는지에 관한 글이므로 ④ '핀란드 사람들의 사우나 사랑'이 가장 적절하다.
① 사우나의 기원 ② 다양한 종류의 사우나 ③ 사우나는 건강에 얼마나 좋은가? ⑤ 한국과 핀란드 사우나의 차이

구문 해설 ❶ to부정사구인 to find saunas in Finland가 주어 자리에 왔다.
❷ 동명사구인 Relaxing in a sauna가 주어 자리에 왔다.

STEP 1 ››› 구문 Start

pp. 28~29

03 바로 예문

1 Eddie likes scary movies.
Eddie는 무서운 영화를 좋아한다.

2 My mother drinks coffee every day.
우리 어머니는 매일 커피를 드신다.

3 Jenny knows me very well.
Jenny는 나를 매우 잘 안다.

4 I usually skip breakfast.
나는 보통 아침 식사를 거른다.

바로 훈련

5 Can you help me this weekend?
이번 주말에 나를 도와줄 수 있니?

6 Mr. Franklin teaches social studies at school.
Franklin 씨는 학교에서 사회를 가르친다.

7 She remembers my phone number.
그녀는 내 전화번호를 기억한다.

8 The doctor always wears a mask.
그 의사는 항상 마스크를 착용한다.

9 The artist draws a picture on the computer.
그 화가는 컴퓨터로 그림을 그린다.

04 바로 예문

1 We hope to see you soon.
우리는 너를 곧 보기를 바란다.

2 I don't mind driving in the snow.
나는 눈길에서 운전하는 것을 꺼리지 않는다.

3 My sister decided to go to Europe.
우리 언니는 유럽에 가는 것을 결정했다.

4 He finishes reading a newspaper in the morning.
그는 아침에 신문 읽는 것을 끝낸다.

바로 훈련

5 Kane wants to make new friends.
Kane은 새 친구들을 사귀기를 원한다.

6 Why does the baby keep crying?
그 아기는 왜 계속 우니?

7 Joan enjoys taking a bath at night.
Joan은 밤에 목욕하는 것을 즐긴다.

8 They expect to win the tennis match.
그들은 테니스 경기에서 이기는 것을 기대한다.

9 Kate hopes to be a famous designer.
Kate는 유명한 디자이너가 되기를 바란다.

3

You / may know / that soccer / began / in England. Do you / know / how "soccer" / got / its name? In England, / there were / two types of football: / rugby football and association football. The nickname of rugby football / was / "rugger," / and the nickname of association football / was / "assoc." The word "assoc" / became / "soccer," because soccer / was / easier to say / than assoc. Later, association football / came / to North America, / and Americans / liked / ❶ **it**. But they / already had / their own sport / called "football." Instead, they / used / ❷ **the British nickname "soccer"** / for the new sport.

당신은 축구가 영국에서 시작되었다는 것을 알고 있을지도 모른다. 당신은 'soccer'가 어떻게 그 이름을 얻었는지 아는가? 영국에서는 두 종류의 축구, 럭비 축구와 공동 축구가 있었다. 럭비 축구의 별칭은 'rugger'였고, 공동 축구의 별칭은 'assoc'이었다. soccer가 assoc보다 말하기 더 쉬웠기 때문에 'assoc'이란 말은 'soccer'가 되었다. 나중에 공동 축구는 북미로 왔고, 미국인들은 그것을 좋아했다. 하지만 그들에게는 이미 '풋볼'이라고 불리는 자신들만의 스포츠가 있었다. 대신에 그들은 그 새로운 스포츠에 영국의 별칭인 'soccer'를 사용했다.

정답 ⑤

문제 해설 주어진 문장의 they는 문맥상 Americans를 가리킨다. 또한, Instead로 시작하는 마지막 문장의 이유에 해당하므로, 주어진 문장이 들어갈 위치는 ⑤가 가장 적절하다.

구문 해설 ❶ 대명사인 it이 목적어 자리에 왔다.
❷ 명사구인 the British nickname "soccer"가 목적어 자리에 왔다.

4

We / all know / what anger is, / and we've all felt / it. Anger / is / normal. But when it / gets out of / control, / it / can cause / problems. To learn to calm down / is / important / when you / are / very angry. So how can / you / calm down? Here is / an easy and fun way. Try / to use / "silly humor." For example, if you / want / ❶ **to call someone** / **a "lemon,"** / try / to imagine / a real lemon. Imagine / the lemon / wearing clothes / and doing things / the person / does. Surely, you / will laugh. When you / enjoy / ❷ **laughing at jokes** / like this, your anger / will go away!

우리는 모두 화가 무엇인지 알고, 우리는 그것을 모두 느껴본 적이 있다. 화는 정상적인 것이다. 하지만 통제가 안될 때, 그것은 문제를 일으킬 수 있다. 당신은 매우 화가 날 때 진정하는 법을 배우는 것이 중요하다. 그러면 어떻게 진정할 수 있을까? 여기 쉽고도 재미있는 방법이 있다. '유치한 유머'를 사용하는 것을 시도해 보라. 예를 들어, 만약 당신이 어떤 사람을 '바보'라고 부르고 싶으면 진짜 레몬을 상상하려고 시도해 보라. 그 레몬이 옷을 입고 그 사람이 하는 대로 하는 것을 상상해 보라. 틀림없이 당신은 웃을 것이다. 당신이 이처럼 농담으로 웃는 것을 즐길 때 당신의 화는 사라질 것이다!

정답 ③

문제 해설 주어진 글은 화를 통제하지 못하면 문제가 생길 수 있다는 내용이므로, 화를 진정시키는 법을 배워야 한다는 내용의 (B), 화를 진정시키는 방법으로서, '유치한 유머(silly humor)'를 사용해 보라는 내용의 (C), '유치한 유머'의 예를 덧붙여 설명하는 내용의 (A) 순서로 이어지는 것이 가장 적절하다.

구문 해설 ❶ 동사 want는 to부정사를 목적어로 취하는 동사로, to call someone a lemon이 목적어로 왔다.
❷ 동사 enjoy는 동명사를 목적어로 취하는 동사로, laughing at jokes가 목적어로 왔다.

STEP 3 ≫ 구문 Master

p. 32

구문+어법

1 They
2 Getting up
3 To eat
4 him
5 traveling
6 to buy
7 closing
8 them

구문 분석 노트

1 ① 목적어 ② to부정사 ③ 기타 사기를
2 ① 보어 ② 동명사 ③ 배드민턴 치는 것은
3 ① 동사 ② 명사 ③ 빵을 만든다
4 ① 목적어 ② 명사구 ③ 내 친구

구문+어법 해석/해설

1 그들은 한국 음식을 아주 많이 좋아한다.
주어 자리에 주격 인칭대명사가 오므로 They가 알맞다.
2 일찍 일어나는 것은 쉽지 않다.
주어 자리에 동명사가 올 수 있으므로 Getting up이 알맞다.
3 패스트푸드를 먹는 것은 너의 성장에 나쁘다.
주어 자리에 to부정사가 올 수 있으므로 To eat이 알맞다.
4 네 친구는 그를 아주 많이 좋아하니?
목적어 자리에는 목적격 인칭대명사가 오므로 him이 알맞다.
5 Billy는 매년 인도로 여행하는 것을 즐긴다.
enjoy는 목적어로 동명사가 오므로 traveling이 알맞다.
6 우리 언니는 새 치마를 사기를 원한다.
want는 목적어로 to부정사가 오므로 to buy가 알맞다.
7 내가 문 닫는 것을 꺼리니?
mind는 목적어로 동명사가 오므로 closing이 알맞다.
8 나는 그것들을 매년 여름 방학마다 읽는다.
목적어 자리에는 목적격 인칭대명사가 오므로 them이 알맞다.

WORKBOOK

pp. 6~9

A
1. 명사 2. to부정사 3. 대명사
4. 동명사

B
1. 가장 좋아하는 2. 운동 3. 나라
4. 갑자기 5. 거의 6. 성장
7. 인구 8. 기대하다 9. 화, 분노
10. 정상적인 11. simple 12. travel
13. nickname 14. silly 15. smile
16. choose 17. important 18. win
19. skip 20. picture

C
1. scary 2. hope 3. mind
4. growth 5. present

D
1. Drinking, 물을 자주 마시는 것은 네 건강에 좋다.
2. going, 우리는 주말마다 낚시하러 가는 것을 즐긴다.
3. to build, 그들은 올해 새집을 지을 것을 기대한다.
4. To get up, 아침에 일찍 일어나는 것은 쉽지 않다.
5. to travel, Judy는 이번 주 금요일에 도시로 여행하기를 원한다.

E
1. Taking care of pets is difficult.
2. Mr. Franklin teaches social studies at school.
3. My friends don't like to play computer games.
4. They enjoy swimming at the beach.
5. My brother wants to buy a new bike.
6. Why does the baby keep crying?
7. He took a five-cent coin out from his pocket.
8. Relaxing in a sauna is an important part of Finnish people's life.

F
1. watched a funny movie
2. makes cookies every
3. Playing[To play] badminton is, exercise
4. scarf is a present for my mother
5. fruits is good for your health
6. hopes to be a famous singer
7. Finding[To find] saunas, is not difficult
8. you enjoy laughing at jokes

Unit 3 보어 자리에 오는 것

STEP 1 ≫ 구문 Start

pp. 34~35

01 바로 예문

1 Those girls are my classmates.
저 소녀들은 우리 반 친구들이다.

2 Cindy and Jessica became friends.
Cindy와 Jessica는 친구가 되었다.

3 The steak looks delicious.
그 스테이크는 맛있어 보인다.

4 This scarf feels so soft.
이 스카프는 매우 부드럽게 느껴져.

바로 훈련

5 The fruit tastes bitter.
그 과일은 쓴맛이 난다.

6 The sky is clear and bright.
하늘이 맑고 밝다.

7 He is my younger brother.
그는 나의 남동생이다.

8 The little girl became a famous pianist.
그 작은 소녀는 유명한 피아니스트가 되었다.

9 Riding a roller coaster is always fun.
롤러코스터를 타는 것은 항상 재미있다.

02 바로 예문

1 Her wish is raising ten dogs.
그녀의 바람은 개를 10마리 키우는 것이다.

2 His dream is to become an actor.
그의 꿈은 배우가 되는 것이다.

3 My goal is to climb Mt. Everest.
내 목표는 에베레스트산을 오르는 것이다.

4 Emily's hobby is growing flowers.
Emily의 취미는 꽃을 기르는 것이다.

바로 훈련

5 Her job is to take care of patients.
그녀의 직업은 환자를 돌보는 것이다.

6 Jake's problem is being late all the time.
Jake의 문제는 항상 늦는 것이다.

7 One of the bad habits is biting nails.
나쁜 습관 중 하나는 손톱을 무는 것이다.

8 The important thing is to see a doctor regularly.
중요한 것은 의사를 정기적으로 만나는 것이다.

9 One way to save the Earth is recycling the paper.
지구를 구하는 한 가지 방법은 종이를 재활용하는 것이다.

STEP 2 ≫ 독해력 Upgrade

pp. 36~37

1

Elephants / have / four teeth and two tusks. The tusks / are / ❶ **the long horn-like parts**. You / will find / them / at the sides of their mouth. These tusks / grow / about 18 centimeters a year / and can grow / up to 6 meters long! African elephants / are / bigger / than Indian elephants. Elephants / use / their tusks / to dig holes for water / or fight with their enemies. An interesting fact about tusks / is / that, like humans, / elephants / are / right- or left-tusked. The next time you / see / an elephant, / check / its tusks. If the left tusk of the elephant / is / a little shorter and more rounded / than the right one, / the elephant / is / ❷ **left-tusked!**

코끼리는 네 개의 이빨과 두 개의 상아를 가지고 있다. 상아는 긴뿔 같이 생긴 부분이다. 당신은 그것들을 코끼리의 입 옆쪽에서 찾을 수 있을 것이다. 이 상아는 1년에 약 18센티미터 정도 자라고, 6미터까지 자랄 수 있다! 아프리카코끼리는 인도코끼리보다 더 크다. 코끼리는 상아를 물을 위해 구멍을 파거나 그들의 천적과 싸울 때 사용한다. 상아에 대한 흥미로운 사실 한 가지는 인간처럼 코끼리도 오른쪽 상아를 주로 쓰거나 왼쪽 상아를 주로 쓴다는 것이다. 다음번에 코끼리를 본다면 그들의 상아를 확인해 봐라. 만약 그 코끼리의 왼쪽 상아가 오른쪽 것보다 약간 더 짧고 둥글면 그 코끼리는 왼쪽 상아를 주로 사용한다!

정답 ②

문제 해설 이 글은 코끼리의 상아(tusk)에 대한 내용으로, 아프리카코끼리와 인도코끼리의 크기를 비교하는 ②는 전체 흐름과 관계 없다.

구문 해설 ❶ 명사구인 the long horn-like parts가 보어 자리에 왔다.
❷ 형용사구인 left-tusked가 보어 자리에 왔다.

2

Surfing / has become / a very popular sport / all around the world. More and more people / are beginning / to learn it. But it / is not / easy / to learn surfing. There are / two important things. The first thing / is / ❶ **being a good swimmer**. To go surfing, / you / must swim / out from the beach / to the waves. And you / must be able to swim / with your surfboard / under your arm. Another important thing / is / ❷ **to keep your balance on the board / and not fall off**. If you / can do / these two things, / you / will have / an exciting ride / in the sea.

서핑은 전 세계적으로 매우 인기 있는 스포츠가 되었다. 점점 많은 사람들이 그것을 배우기 시작하고 있다. 그러나 서핑을 배우기는 쉽지 않다. 두 가지 중요한 것이 있다. 첫 번째로는 수영을 잘하는 것이다. 서핑하러 가기 위해서 당신은 해변에서부터 파도까지 수영해 나가야 한다. 그리고 팔 아래에 서핑 보드를 끼고 수영을 할 수 있어야만 한다. 또 다른 중요한 것은 보드 위에서 균형을 유지하고 떨어지지 않는 것이다. 만약 당신이 이 두 가지를 할 수 있다면, 당신은 바다에서 신나는 파도타기를 할 수 있을 것이다.

정답 ④

문제 해설 서핑을 배우는 사람들이 늘고 있다는 내용의 주어진 글 뒤에 (C) '하지만 배우기 어렵고, 두 가지 중요한 점이 있는데, 첫째로는 수영을 잘해야 한다'는 내용이 오고, 이어서 (A) 수영을 잘해야 하는 이유가 오고, (B) 또 다른 중요한 점으로 '보드 위에서 균형을 유지하고 떨어지지 않는 것'이 마지막으로 이어지는 것이 자연스럽다.

구문 해설 ❶ 동명사구인 being a good swimmer가 보어 자리에 왔다.
❷ to부정사구인 to keep your balance on the board and not fall off가 보어 자리에 왔다.

STEP 1 ››› 구문 Start

pp. 38~39

03 바로 예문

1 That makes her very angry.
그것은 그녀를 매우 화나게 만든다.

2 They call me a gentleman.
그들은 나를 신사라고 부른다.

3 People found selfie sticks amazing.
사람들은 셀카 봉이 놀랍게 느껴졌다.

4 His mother made him a soccer player.
그의 어머니는 그를 축구 선수로 만들었다.

바로 훈련

5 We call her a genius.
우리는 그녀를 천재라고 부른다.

6 My parents named our hamster Coco.
나의 부모님은 우리 햄스터를 Coco라고 이름 지으셨다.

7 People made him a leader of the country.
사람들은 그를 그 나라의 지도자로 만들었다.

8 We found the sofa very comfortable.
우리는 그 소파가 아주 편안하게 느껴졌다.

9 Wearing a helmet keeps your head safe.
헬멧을 쓰는 것은 네 머리를 안전하게 보호해 준다.

04 바로 예문

1 The doctor asked me to stay in bed.
의사는 나에게 침대에서 쉬라고 요청했다.

2 Ben wants her to continue the work.
Ben은 그녀가 그 일을 계속하기를 원한다.

3 What did he tell you to do?
그가 너에게 무엇을 하라고 말했니?

4 The restaurant allows pets to come in.
그 식당은 애완동물들이 들어오는 것을 허락한다.

바로 훈련

5 Do you want me to visit them often?
너는 내가 그들을 자주 방문하기를 원하니?

6 The Internet allows people to share ideas.
인터넷은 사람들이 생각을 공유하는 것을 허용한다.

7 Don't expect me to do all the house chores.
내가 모든 집안일을 할 거라고 기대하지 마.

8 Cindy sometimes asks me to feed her cat.
Cindy는 가끔 나에게 그녀의 고양이에게 먹이 주는 것을 부탁한다.

9 My father always tells me to help the poor.
우리 아버지는 항상 나에게 가난한 사람들을 도우라고 말씀하신다.

3

Have / you / heard / the lyric "like a diamond in the sky" / in the children's song, / "Twinkle, Twinkle, Little Star?"
아이들 노래인 "반짝반짝 작은 별"에서 '하늘에 있는 다이아몬드처럼'이라는 가사를 들어 봤는가?
People / often say / that stars / shine / like a diamond / in the sky. But some scientists / found / a star / made of
사람들은 종종 별들이 하늘에서 다이아몬드처럼 빛난다고 말한다. 하지만 몇몇 과학자들은 우주에서 진짜 다이아몬드로
real diamonds / in the universe. A dead star / was / so cold / that its carbon / formed / a giant diamond. It / is /
만들어진 별을 발견했다. 죽은 별이 너무 차가워서 별의 탄소가 거대한 다이아몬드를 형성했다. 그것은
almost the same size / as the Earth! These diamonds / are / surely interesting for scientists. But they / are
거의 지구 크기만 하다! 이 다이아몬드는 과학자들에게 확실히 흥미롭다. 하지만 별은 너무
probably not going to **make** / **anyone** / **very rich** / because they / are / too far away.
멀리 떨어져 있어서 아마 어느 누구도 아주 부유하게 만들어 주지는 않을 것이다.

정답 ①

문제 해설 과학자들이 우주에서 다이아몬드가 된 죽은 별을 발견했지만 우주에 있는 별이므로 ① '너무 멀리 떨어져서' 실제로 그것을 소유하여 부자가 되기는 어렵다는 것이 자연스럽다.
② 그것들(별들)은 너무 비싸다 ③ 어린이들만 그것들(별들)을 볼 수 있다 ④ 그것들(별들)은 다이아몬드처럼 빛나지 않는다 ⑤ 과학자들은 그것들(별들)이 어디에 있는지 모른다

구문 해설 형용사구인 very rich가 동사 make의 목적격보어로 왔다.

4

A man / was driving / down the street / in a hurry / because he / had / a very important meeting. But unluckily he /
한 남자가 매우 중요한 회의가 있어서 길에서 서둘러 운전을 하고 있었다. 하지만 불행히도 그
couldn't find / a parking space. He / looked / up to heaven for a while / and ❶ **asked** / **God** / **to find one**. He /
는 주차 공간을 찾을 수가 없었다. 그는 잠시 동안 하늘을 올려다보고 신에게 주차 공간을 찾을 수 있도록 요청했다. 그는
said, / "If you / find / me / a parking space, / I / will go / to church every Sunday / and ❷ **keep** / **the church** / **very**
"만약 제게 주차 공간을 찾아 주신다면 일요일마다 교회에 나가고, 교회를 아주 깨끗하게 청소하겠습니다."라고 말했다.
clean!" Just then, he saw / a car / move and leave / a parking space. It / was / very close to him. The man /
바로 그때, 그는 차 한 대가 움직여 주차 공간을 남긴 것을 보았다. 그곳은 그에게서 매우 가까웠다. 그 남자는 다
looked / up again and said, / "Never mind, / I / just found / one."
시 올려다보며 "신경 쓰지 마세요. 방금 한곳을 찾았어요."라고 말했다.

정답 ④

문제 해설 (A) 동사 ask는 목적격보어로 to부정사가 오므로 to find가 알맞고, (B) 목적어 the church를 보충 설명해 주는 목적격보어 자리에는 형용사가 오므로 clean이 알맞다.

구문 해설 ❶ 동사 ask는 목적격보어로 to부정사가 오므로 to find가 왔다.
❷ 동사 keep은 목적격보어로 형용사가 오므로 clean이 왔다.

STEP 3 ⋙ 구문 Master

p. 42

구문+어법

1 soft
2 to travel
3 helping the poor
4 interesting
5 keeping
6 to call
7 salty
8 to exercise

구문 분석 노트

1 ① 주어 ② 형용사 ③ 무섭다
2 ① 동사 ② 명사구 ③ 유명한 배우가 되었다
3 ① 목적어 ② 형용사 ③ 행복하게 만들었다
4 ① 목적격보어 ② to부정사 ③ 그 일을 계속하기를

구문+어법 해석/해설

1 이 코트는 부드럽게 느껴진다.
주격보어 자리에 형용사가 올 수 있으므로 soft가 알맞다.

2 내 꿈은 세계를 여행하는 것이다.
주격보어 자리에 to부정사가 올 수 있으므로 to travel이 알맞다.

3 Jane의 인생 목표는 가난한 사람들을 돕는 것이다.
주격보어 자리에 동명사가 올 수 있으므로 helping the poor가 알맞다.

4 David는 그 만화책이 재미있게 느껴졌다.
목적격보어 자리에 형용사가 올 수 있으므로 interesting이 알맞다.

5 그의 업무는 도로를 깨끗하게 유지하는 것이다.
주격보어 자리에 동명사가 올 수 있으므로 keeping이 알맞다.

6 그녀에게 나에게 바로 전화해 달라고 전해 주세요.
tell은 목적격보어로 to부정사가 오므로 to call이 알맞다.

7 그 스파게티는 매우 짠맛이 난다.
주격보어 자리에 형용사가 올 수 있으므로 salty가 알맞다.

8 우리 아버지는 내가 규칙적으로 운동하기를 기대하신다.
expect는 목적격보어로 to부정사가 오므로 to exercise가 알맞다.

WORKBOOK

pp. 10~13

A
1. 형용사 2. 동명사 3. 명사
4. to부정사

B
1. 정기적으로 2. 습관 3. 천재
4. (구멍 등을) 파다 5. 키우다, 기르다 6. 형성하다
7. 계속하다 8. 변호사 9. 불행히도
10. 재활용하다 11. popular 12. share
13. grow 14. balance 15. mind
16. comfortable 17. patient 18. giant
19. bitter 20. universe

C
1. safe 2. plan 3. bright
4. tell 5. allow

D
1. sweet, 이 포도는 매우 달다.
2. comfortable, 우리는 그 의자가 매우 편안하게 느껴졌다.
3. washing, 나의 좋은 습관 중 하나는 손을 자주 씻는 것이다.
4. to go, 우리 어머니는 내가 주말마다 도서관에 가기를 기대하신다.
5. to take, 우리 할머니는 나에게 자신의 개를 돌봐 주기를 부탁하셨다.

E
1. The little girl became a famous model.
2. Wearing a helmet keeps your head safe.
3. Bell's problem is getting up late in the morning.
4. I always keep my desk clean.
5. My father always tells me to help the poor.
6. She expects me to be an artist.
7. He asked God to find a parking space.
8. They are not going to make anyone very rich.

F
1. chocolate cake looks delicious
2. is making[to make] a good world
3. important thing is exercising[to exercise]
4. named their baby Grace
5. asks me to answer the questions
6. expect me to help you
7. makes them sad
8. is keeping[to keep] your balance

Unit 4 be동사의 시제

STEP 1 ≫ 구문 Start

pp. 44~45

01 바로 예문

1 나는 단편 소설 작가이다.
2 책상 위의 연필들은 내 것이다.
3 Chris와 나는 가장 친한 친구이다.
4 지구는 둥글다.

바로 훈련

5 He is honest and diligent.
그는 정직하고 부지런하다.
6 Ms. Parker is at her office now.
Parker 부인은 지금 그녀의 사무실에 있다.
7 Drinking lots of water every day is good for you.
물을 매일 많이 마시는 것은 너에게 좋다.
8 My parents are sometimes strict with me.
우리 부모님은 때때로 나에게 엄격하시다.
9 Is there a police station near your school?
너희 학교 근처에 경찰서가 있니?

02 바로 예문

1 우리는 어제 매우 화가 났다.
2 지난 주말에 바람이 불고 구름이 꼈다.
3 나는 2년 전에 영국에 있었다.
4 우리 아버지는 그때 바쁘셨다.

바로 훈련

5 Julia was in the classroom five minutes ago.
Julia는 5분 전에 교실에 있었다.
6 Was Jane sick last Saturday?
지난주 토요일에 Jane은 아팠니?
7 Jason and I were in the same class last year.
Jason과 나는 작년에 같은 반이었다.
8 They were very surprised at the news yesterday.
그들은 어제 그 소식에 매우 놀랐다.
9 There was a food festival in my town last Sunday.
지난주 일요일에 우리 마을에 음식 축제가 있었다.

STEP 2 ≫ 독해력 Upgrade

pp. 46~47

1

Greenland / ❶ **is** / a land of snow and ice. You / are not able to see / much green there / because snow and ice / ❷ **are** / everywhere. Then how did / Greenland / get / its name? Erik the Red / was / the first person / to discover this land, / and he / called / it "Greenland." To get there, / he / had to sail / through a lot of ice. When he / finally found / Greenland, / he / was / very pleased / to see a green country / beyond the ice. Later when / he / returned / to his country, / Iceland, / he / told / everybody / about this wonderful place / and named / it Greenland.

그린란드는 눈과 얼음의 땅이다. 눈과 얼음이 곳곳에 있기 때문에 당신은 그곳에서 많은 초록을 볼 수 없다. 그러면 그린란드는 어떻게 그 이름을 얻었을까? Erik the Red는 이 땅을 발견한 최초의 사람이었고, 그가 그것을 '그린란드'라고 불렀다. 그곳에 닿기 위해 그는 많은 얼음을 뚫고 항해를 해야 했다. 마침내 그린란드를 발견했을 때 그는 얼음 너머에 있는 초록 땅을 보고 매우 기뻐했다. 나중에 그는 자신의 조국인 아이슬란드로 돌아와서 모두에게 이 멋진 장소에 관해 이야기했고, 그것을 그린란드라고 이름 지었다.

정답 ②

문제 해설 Erik the Red는 Greenland를 처음 발견하고 이름을 지은 사람이다. ② 'destory(파괴하다)'가 아니라 'discover(발견하다)'가 적절하다.

구문 해설 ❶ 현재의 상태를 나타내고, 주어가 Greenland로 단수이므로 be동사 is가 쓰였다.
❷ 현재의 상태를 나타내고, 주어가 snow and ice로 복수이므로 be동사 are이 쓰였다.

2

The tulip / is / a popular flower / in gardens / around the world. The Netherlands / is / now famous for / its various
튤립은 전 세계 정원에서 인기 있는 꽃이다. 네덜란드는 현재 다양한 종류의 튤립으로 유명하다.
kinds of tulips. Also, the tulip / is / the national flower of the country. However, the flowers / [1] **were** / originally
또한, 튤립은 네덜란드의 국화이기도 하다. 하지만 그 꽃들은 원래 터키에서 유래했다.
from Turkey. / Some people / found / the beautiful flowers / in Turkey / and brought / them / to the Netherlands /
몇몇 사람들이 터키에서 그 아름다운 꽃을 발견하고, 17세기에 네덜란드로 그것들을 가져왔다.
in the 17th century. Soon after, the flower / became / very fashionable / among rich people. At first, tulips / were
곧 그 꽃은 부자들 사이에서 매우 유행하게 되었다. 처음에 튤립은 네덜란드
brought / only from Turkey, / a country far from the Netherlands. So the price / was / very high. Sometimes a
에서 아주 먼 나라인, 터키에서만 들여왔다. 그래서 가격은 매우 높았다. 때때로 튤립 한
tulip / [2] **was** / as expensive as a house!
송이가 집 한 채만큼 비싸기도 했다!

정답 ①

문제 해설 (A) 네덜란드가 튤립으로 유명하고 네덜란드의 국화이지만, 원래 터키에서 유래했다는 내용으로 앞뒤의 내용이 상반되므로 'However(하지만)'가 적절하다. (B) 튤립이 부자들 사이에서 유행하고, 먼 나라인 터키에서만 들여올 수 있었던 것이 튤립 가격이 비싼 것의 이유가 되므로 'So(그래서)'가 알맞다.

구문 해설 [1] 과거의 사실을 나타내고, 주어가 the flowers로 복수이므로 be동사는 were가 쓰였다.
[2] 과거의 사실을 나타내고, 주어가 a tulip으로 단수이므로 be동사는 was가 쓰였다.

STEP 1 ≫ 구문 Start

pp. 48~49

03 바로 예문

1 너는 훌륭한 드럼 연주자가 될 것이다.
2 수학 시험은 매우 어려울 것이다.
3 그들은 오후에 돌아올 것이다.
4 파티는 우리 집에서 있을 것이다.

바로 훈련

5 곧 장마철이 될 것이다.
6 학교는 3시에 끝날 것이다.
7 Bill은 오늘 그 선물로 매우 기뻐할 것이다.
8 우리는 내년에 고등학생이 될 것이다.
9 공기 오염은 미래에 심각한 문제가 될 것이다.

04 바로 예문

1 그들은 내 여동생에게 친절하지 않다.
2 그 영화는 그렇게 재미있지 않았다.
3 그들은 내일 거기에 있을까?
4 그 선생님은 나에게 화가 나셨니?

바로 훈련

5 나는 다시 모임에 늦지 않을 것이다.
6 너는 지금 은행에 있니?
7 Tony와 Julie는 작년에 호주에 있지 않았다.
8 지난주 토요일에 토론토에 폭풍우가 쳤니?
9 그가 내일 오후에 부재중일까?

3

Here / is / the weather for Western Europe / for the next 24 hours. Let's begin / in the north. I / am / afraid /
다음 24시간 동안의 서유럽 날씨 예보입니다. 북쪽부터 시작합시다. 유감스럽게도 이곳
that spring / is not / here yet! There / is going to be / a lot of rain, / and it / may fall / as snow / in the Scottish
에는 아직 봄이 오지 않았습니다! 많은 비가 내릴 예정이며, 스코틀랜드 산간 지역에는 눈이 올 수 있습니다.
mountains. So it / ❶ **will be** / chilly all day. Temperatures / will be / around 5 to 6 degrees / but even lower / in
따라서 종일 쌀쌀하겠습니다. 기온은 5도에서 6도 정도 될 것이며, 눈이 오는 지역은 기온이 더 낮겠습니다.
snowy areas. Let's move / south now. There / ❷ **will be** / a lot of sunshine, / and the temperature / may be / as
이제 남쪽으로 가 보죠. 햇빛이 많이 비추겠으며, 영국과 북부 프랑스에서는 기온이 15도까지 높겠습니다.
high as 15 degrees / in England and northern France. With light and warm winds / coming from the south, / it /
가볍고 따뜻한 바람이 남쪽에서 불어와 아주 봄과 같은 느낌일 것
will feel / very springlike.
입니다.

정답 ②

문제 해설 북부 지역은 비 또는 눈이 온다고 했고, 남부 지역은 훨씬 따뜻하고 햇빛이 많이 비출 것이라고 했으므로 (A) snowy, (B) warm이 알맞다.
(→ 북쪽에 비가 오거나 눈이 올 것이지만 남쪽은 따뜻하고 밝을 것이다.)

구문 해설 ❶❷ 미래의 일을 나타내고 있으므로 조동사인 will이 오고, will 뒤에는 동사원형인 be가 왔다.

4

If you / have / a chance to raise a pet, / what animal will / you / choose? It / **isn't** / a surprise that / dogs, a
만약 애완동물을 키울 기회가 있다면, 당신은 어떤 동물을 고를 것인가? 인간의 가장 친한 친구인 개가 가장 사랑
man's best friend, / are / the most beloved pets. They / are / always friendly, / cheerful, / and entertaining. But
받는 애완동물이라는 것은 놀랍지 않다. 그들은 늘 친절하고, 쾌활하며, 즐거움을 준다. 하지
some people / like / to keep unusual pets. For example, mini pigs, / raccoons, / and even robotic animals / are /
만 어떤 사람들은 특이한 애완동물들을 키우기 좋아한다. 예를 들어, 미니 돼지나 너구리, 그리고 심지어 로봇 동물도 인기 있는 애완
popular pets. Unlike a real pet, / you / don't need / to feed robotic pets or bring them to the hospital. Also, you /
동물이다. 진짜 애완동물과 달리 당신은 애완 로봇에게 먹이를 줄 필요도 병원에 데려갈 필요도 없다. 또한, 당신
don't have to worry / about your dog / eating your shoes. In the future, they / will possibly replace / real pets /
의 개가 신발을 물 걱정을 안 해도 된다. 미래에 그들은 아마 진짜 애완동물들을 대신하고, 우리의 새로
and become / our new best friends.
운 가장 친한 친구가 될 수 있다.

정답 ②

문제 해설 주어진 문장은 '하지만 어떤 사람들은 특이한 애완동물들을 키우기 좋아한다.'라는 내용이므로 그 뒤에 특이한 애완동물의 구체적인 예시가 나오는 것이 자연스럽다. 따라서 For example로 시작하는 문장 앞 ②가 적절하다.

구문 해설 be동사 is의 부정형은 is not이고, isn't로 줄여 쓸 수 있다.

STEP 3 ≫ 구문 Master

p. 52

구문+어법

1 is
2 was
3 will be
4 Will
5 were not
6 Were they
7 Is
8 was not

구문 분석 노트

1 ① 보어 ② 현재 ③ 바쁘고 피곤하다
2 ① 보어 ② 과거 ③ 매우 행복했다
3 ① 주어 ② 미래 ③ 계실 것이다
4 ① 동사 ② 현재 ③ 춥고 눈이 온다

구문+어법 해석/해설

1 Scott 부인은 지금 일터에 있다.
now는 현재의 일을 나타내므로 is가 알맞다.
2 그녀는 2년 전에 중학생이었다.
2년 전의 일이므로 과거시제인 was가 알맞다.
3 날씨가 내일 다소 추울 것이다.
내일 날씨를 말하므로 미래시제인 will be가 알맞다.
4 5분 후에 버스 정류장에 있을 거니?
5분 후의 일어날 일이므로 미래시제인 Will이 알맞다.
5 그 거리는 그때 넓지 않았다.
과거의 일을 나타내므로 과거시제인 were not이 알맞다.
6 그들은 파티에서 모두에게 친절했니?
과거시제 be동사의 의문문은 'Was/Were+주어 ~?'의 형태이고, 주어가 3인칭 복수 they이므로 Were they가 알맞다.
7 Mathew는 올해 5학년이니?
올해의 학년을 묻고 있으므로 현재시제인 Is가 알맞다.
8 Daniel은 아침에 그 소식에 화나지 않았다.
아침에 일어난 일을 말하고 있으므로 과거시제인 was not이 알맞다.

WORKBOOK

pp. 14~17

A
1. were
2. am
3. are
4. will be
5. is not
6. Am
7. Are

B
1. 엄격한
2. 때때로
3. 결석한
4. 곳곳에
5. 유행하는
6. 돌아오다
7. 원래
8. 오염
9. 온도
10. ~ 너머에
11. bring
12. expensive
13. sunshine
14. serious
15. stormy
16. replace
17. afraid
18. cheerful
19. unusual
20. feed

C
1. last
2. return
3. various
4. near
5. is surprised at

D
1. will not be, 그는 이번 겨울에 집에 있지 않을 것이다.
2. is, Lisa는 지금 부엌에 있다.
3. will be, 우리 부모님은 내일 그 선물에 매우 행복하실 것이다.
4. Are, 그들은 지금 4층에 있니?
5. was, 우리 언니는 어제 나한테 화가 났다.

E
1. She was absent from school yesterday.
2. The erasers on the table are not mine.
3. Drinking lots of water every day is good for you.
4. The English test will be very difficult this time.
5. Was it snowy in Toronto last Saturday?
6. Erik the Red was the first person to discover this land.
7. The air pollution will be a big problem in the future.
8. The tulip is a popular flower in gardens around the world.

F
1. Is there a bank
2. were surprised at the news yesterday
3. will be over at three
4. Were you in the classroom an hour
5. are not able to see
6. will not be late for the class
7. were in the same class
8. Temperatures will be around

Unit 5 일반동사의 시제

STEP 1 ≫ 구문 Start

pp. 54~55

01 바로 예문

1 나는 매주 월요일마다 치과 진찰을 받는다.
2 일찍 일어나는 새가 벌레를 잡는다.
3 Peter는 농장에서 소를 키우지 않는다.
4 Cathy는 신문을 읽니?

바로 훈련

5 My sister goes to the art gallery on Saturdays.
우리 언니는 매주 토요일마다 미술관에 간다.
6 Paul speaks Spanish very well.
Paul은 스페인어를 매우 잘 말한다.
7 They don't like to waste their time.
그들은 그들의 시간을 낭비하는 것을 좋아하지 않는다.
8 Do you believe in luck?
너는 행운을 믿니?
9 The moon moves around the Earth.
달은 지구 주위를 돈다.

02 바로 예문

1 Michael은 오늘 아침에 늦게 깼다.
2 너는 오늘 잔디밭에 누웠니?
3 Billy와 Jane은 어제 함께 점심을 먹었다.
4 세종대왕은 한글을 1443년에 발명했다.

바로 훈련

5 My family went fishing last summer.
우리 가족은 작년 여름에 낚시하러 갔다.
6 They didn't wear a seat belt in the car.
그들은 차에서 안전벨트를 매지 않았다.
7 Did you take a cable car last week?
너는 지난주에 케이블카를 탔니?
8 Julia moved to a new apartment two months ago.
Julia는 두 달 전에 새 아파트로 이사갔다.
9 Luckily, it didn't rain all day long.
다행히도 하루 종일 비가 내리지는 않았다.

STEP 2 ≫ 독해력 Upgrade

pp. 56~57

1

Everybody / yawns, / from little babies / to the elderly. Why do / we / yawn? You / may think / that you / yawn / because you / are / bored, / or you / are / tired. But that's not true. Yawning / does not mean / that you / are / bored or tired. You / yawn / when your brain / ❶ **needs** / it. Why? / Some scientists / found / that people / yawn / when their brain temperature / is / high. Your brain / is / like a computer. It / ❷ **works** well / when it / is / cool enough. Yawning / can help / your brain / cool down. So when you / yawn, / your brain / will work / better than before.

작은 아기들부터 노인들까지 모두 하품을 한다. 우리는 왜 하품을 할까? 당신은 지루하거나 피곤하기 때문에 하품을 한다고 생각할지도 모른다. 하지만 그것은 사실이 아니다. 하품은 당신이 지루하거나 피곤하다는 것을 의미하지 않는다. 당신의 뇌가 필요로 할 때 당신은 하품을 한다. 왜? 일부 과학자들은 사람들의 뇌의 온도가 높을 때 하품을 한다는 것을 발견했다. 당신의 뇌는 컴퓨터와 같다. 그것은 충분히 식어 있을 때 작동을 잘한다. 하품은 당신의 뇌를 식히는 것을 도와줄 수 있다. 그래서 당신이 하품을 할 때, 당신의 뇌는 전보다 더 작동을 잘하게 될 것이다.

정답 ④

문제 해설 하품을 하는 이유는 지루하거나 피곤해서가 아니라, 뇌의 온도가 올라갔을 때 그것을 식히기 위해서라는 내용이므로 ④ '당신이 하품을 하는 이유'가 글의 제목으로 가장 알맞다.
① 하품을 멈추는 방법들 ② 공부를 더 잘하는 방법들 ③ 기분이 좋아지는 방법 ⑤ 당신의 뇌를 위한 건강한 음식

구문 해설 ❶ 주어가 3인칭 단수 현재시제일 때 동사에 -s/-es를 붙인다.
❷ 일반적인 사실을 나타내는 현재시제로, 주어가 3인칭 단수이므로 works가 쓰였다.

2

In 1905, / 11-year-old Frank Epperson / was making / soda. He / ❶ **mixed** / soda water powder and water. Then stirred / it / with a stick. But by mistake, / he / left / it out all night. It / was / very cold. The next day he / found / his soda / frozen. The stick / was / still in it! Yes, / it / was / the world's first ice pop. But he / didn't know / that he / ❷ **invented** / a new snack. Eighteen years later, / he / remembered / his invention. And he / started / making and selling / "Eppsicle" ice pop. Later, his kids / used / the name "Popsicle." Ever since then, people around the world / have enjoyed / popsicles.

1905년에 11살의 Frank Epperson이 소다수를 만들고 있었다. 그는 소다수 가루와 물을 섞었다. 그런 다음 막대로 그것을 저었다. 하지만 실수로 그는 그것을 밤새 밖에 그대로 두었다. 날씨가 매우 추웠다. 다음날 그는 그의 소다수가 언 것을 발견했다. 막대는 여전히 그 안에 있었다! 그렇다, 그것이 세계 최초 막대 아이스크림이었다. 하지만 그는 자신이 새로운 간식을 발명했다는 것을 몰랐다. 18년 후, 그는 자신의 발명품을 기억해 냈다. 그리고 'Eppsicle'이라는 막대 아이스크림을 만들어 팔기 시작했다. 나중에 그의 아이들이 'Popsicle'이라는 이름을 사용했다. 그때 이후로 줄곧 전 세계 사람들이 막대 아이스크림을 즐기고 있다.

정답 ①

문제 해설 ①은 막대가 없는 얼지 않은 소다수를 가리키고, 나머지는 막대가 꽂힌 언 소다수, 즉 막대 아이스크림을 가리킨다.

구문 해설 ❶ 과거의 동작을 나타내는 과거시제 동사로, 현재형은 mix이다.
❷ 과거의 동작을 나타내는 과거시제 동사로, 현재형은 invent이다.

STEP 1 >>> 구문 Start

pp. 58~59

03 바로 예문

1 그들은 한 시간 뒤에 여기를 떠날 것이다.
2 그녀는 오늘 차를 운전할 것이니?
3 나는 올해 여행을 하지 않을 것이다.
4 인간은 언젠가 화성에 갈 것이다.

바로 훈련

5 The supermarket near my house will close soon.
②, 우리 집 근처에 있는 슈퍼마켓은 문을 곧 닫을 것이다.
6 Betty will not do the dishes after dinner.
①, Betty는 저녁 식사 후에 설거지를 하지 않을 것이다.
7 Will you stay at the hotel during the holidays?
①, 너는 휴가 동안에 호텔에서 머무를 거니?
8 My uncle will go on a business trip to Germany.
②, 우리 삼촌은 독일로 출장을 갈 것이다.
9 Will Janet make a plan for next month?
①, Janet은 다음 달 계획을 세울 거니?

04 바로 예문

1 나는 일요일 아침에 하이킹하러 가고 있을 것이다.
2 Tina는 그때 그의 이름을 부르고 있지 않았다.
3 네 여동생은 지금 사과 파이를 만들고 있니?
4 너는 오늘 밤 10시에 기차를 기다리고 있을 거니?

바로 훈련

5 He will be ordering some food at twelve today.
그는 오늘 12시에 음식을 주문하고 있을 것이다.
6 My grandmother is not growing rice anymore.
우리 할머니는 이제 벼를 재배하지 않으신다.
7 Was Judy taking a walk with her dog this morning?
Judy는 오늘 아침에 그녀의 개와 산책하고 있었니?
8 They are building a shopping mall now.
그들은 지금 쇼핑몰을 짓고 있다.
9 Isaac will not be riding a skateboard tomorrow afternoon.
Isaac은 내일 오후에 스케이트보드를 타고 있지 않을 것이다.

STEP 2 >> 독해력 Upgrade

pp. 60~61

3

What [1] will / you / do / if you / get lost / in a desert without water? Surely, you / [2] won't live / for just a few
당신이 사막에서 물이 없이 길을 잃었다면 무엇을 할 것인가? 물론 당신은 단 며칠밖에 살 수 없을 것이다.
days. So, first of all, you / have to look for / water to drink. But deserts / are / very dry / with no lakes or rivers.
그래서 우선 당신은 마실 물을 찾아야 한다. 하지만 사막은 호수나 강이 없어 아주 건조하다.
Where can / you / find / water? One answer / is / to follow wildlife. Animals / mean / water. Listen / for birds
당신은 어디에서 물을 찾을 수 있을까? 한 가지 대답은 야생 동물을 따라가 보는 것이다. 동물들은 물을 의미한다. 새가 지저귀는 소
singing / and watch / the sky / for flying birds or bees. Or look for / animal tracks / going downhill. They / [3] will
리를 들어보고 하늘에 날고 있는 새나 벌을 봐라. 또는 내리막길을 향하는 동물 자취를 찾아라. 그것들이 당신
lead / you to water. Or you / can get / water from a cactus. But you / should be / very careful / because some
을 물로 이끌 것이다. 또한 당신은 선인장으로부터 물을 얻을 수 있다. 하지만 몇몇 종류는 독이 있기 때문에 매우 조심해야만 한다.
kinds / are / poisonous.

정답 ⑤

문제 해설 They는 야생 동물을 따라가 보는 것과 관련된 세부적인 예시를 가리키고 있으므로 선인장을 찾는 ⑤는 알맞지 않다.

구문 해설 [1] 미래시제의 의문문은 'Will+주어+동사원형 ~?'의 형태로 한다. 의문사가 있을 경우 will 앞에 온다.
[2] will의 부정형은 'will not[won't]+동사원형'으로 한다.
[3] will 다음에 동사원형인 lead가 왔다.

4

I / am / a university student, / who likes / traveling every vacation. I / enjoy / visiting local markets / and eating
나는 대학생이고, 방학마다 여행하는 것을 좋아한다. 나는 그 지역의 시장을 방문하는 것과 여행 중 그 지
local foods / while traveling. I / also like / to meet other people / in strange places. Last month I / met / Melina
역의 음식을 먹는 것을 즐긴다. 나는 또한 낯선 장소에서 다른 사람들을 만나는 것을 좋아한다. 지난달 나는 호주를 여행하는 중
from Spain / while I / was traveling / in Australia. We / had / a good time together / and soon became / good
에 스페인에서 온 Melina를 만났다. 우리는 함께 좋은 시간을 보냈고, 곧 좋은 친구가 되었다.
friends. Now she / is / back home, / and I / am / here at school. I / [1] **am taking** / a Spanish course / and saving /
지금 그녀는 집으로 돌아갔고, 나는 여기 학교에 있다. 나는 스페인어 수업을 듣고 있고, 스페인으로 여행갈 돈을
money to travel / to Spain. This time next year I / [2] **will be walking** / around with Melina / in her hometown of
모으고 있다. 내년 이맘때쯤 나는 Melina의 고향인 Sevilla에서 그녀와 함께 걸어 다니고 있을 것이다.
Sevilla.

정답 ②

문제 해설 (A)는 과거에 진행 중이었던 일을 나타내므로 과거진행형인 was traveling이 알맞고, (B)는 문장의 시제가 현재진행형이므로 and 뒤의 시제 역시 같다. be동사가 생략된 saving이 알맞다.

구문 해설 [1] 현재에 진행 중인 일은 'am/are/is+동사원형-ing'의 형태로 나타내고, '~하고 있다'로 해석한다.
[2] 미래의 특정한 때에 진행 중일 일은 'will be+동사원형-ing'의 형태로 나타내고, '~하고 있을 것이다'로 해석한다.

STEP 3 ››› 구문Master

p. 62

구문+어법

1 gets up
2 Did
3 will make
4 Are you
5 will be taking
6 grew
7 Will
8 didn't go

구문 분석 노트

1 ① 목적어 ② 현재 ③ 바이올린 켜는 것을 즐긴다
2 ① 수식어 ② 미래 ③ 가입할 것이다
3 ① 목적어 ② 과거 ③ 책을 몇 권 빌렸다
4 ① 동사 ② 과거진행 ③ 공을 차고 있었다

구문+어법 해석/해설

1 Daniel은 매일 아침 6시에 일어난다.
현재의 습관을 나타내므로 현재시제인 gets up이 알맞다.
2 네 남동생은 어제 꽃에 물을 줬니?
어제 일어난 일을 묻고 있으므로 과거시제인 Did가 알맞다.
3 나는 내일 겨울 방학 계획을 세울 것이다.
미래의 일을 나타내므로 미래시제인 will make가 알맞다.
4 너는 지금 버스를 기다리고 있니?
현재에 진행 중인 일을 묻고 있으므로 Are you가 알맞다.
5 Andy는 내일 오후에 산책을 하고 있을 것이다.
내일 오후에 하고 있을 일을 말하므로 미래진행시제인 will be taking이 알맞다.
6 우리 어머니는 작년에 정원에서 꽃을 기르셨다.
작년의 일을 말하고 있으므로 과거시제인 grew가 알맞다.
7 다음 주말에 너희 아버지는 출장을 가시니?
다음 주 주말의 일을 묻고 있으므로 미래시제인 Will이 알맞다.
8 우리 가족은 작년 여름에 캠핑하러 가지 않았다.
일반동사의 과거시제의 부정형은 'didn't+동사원형'이므로 didn't go가 알맞다.

WORKBOOK

pp. 18~21

A
1. don't/doesn't 2. 동사원형 3. didn't
4. Did 5. will not 6. Will
7. am/are/is 8. was/were 9. will be

B
1. 아침 식사 2. 지역의, 현지의 3. 발명하다
4. 하품하다 5. 플라스틱 빨대 6. 온도
7. 언, 냉동된 8. 기르다 9. 야생 동물
10. 이끌다 11. build 12. borrow
13. dictionary 14. remember 15. enough
16. fix 17. order 18. desert
19. mean 20. strange

C
1. water 2. catch 3. true
4. Stir 5. sell

D
1. brushes, Chole는 하루에 5번 이를 닦는다.
2. will invite, 나는 이번 주 일요일에 우리 반 친구들을 생일 파티에 초대할 것이다.
3. is cleaning, Julia는 지금 정원을 청소하고 있다.
4. didn't have, 우리 남동생은 작년에 독감에 걸리지 않았다.
5. will be fixing, James는 이번 주 토요일 아침에 그의 컴퓨터를 고치고 있을 것이다.

E
1. They don't enjoy playing the guitar.
2. We didn't wear a seat belt in the car.
3. Nick bought a new smartphone last month.
4. Our family will save energy from now on.
5. Will you be watching a movie on Sunday morning?
6. My grandmother is not growing vegetables anymore.
7. Animal tracks will lead you to water.
8. I will be walking around with my friend in Spain.

F
1. moves around the Earth
2. Did, borrow your notebook
3. moved to a new apartment
4. Will, make a plan for the summer vacation
5. will be waiting for the train
6. Was, taking a walk with her dog
7. yawn, will work better
8. didn't know, invented a new snack

Unit 6 조동사

STEP 1 »» 구문 Start

pp. 64~65

01 바로 예문

1 Can you help me with my homework?
내 숙제를 도와줄 수 있니?

2 Jimmy can tell an interesting story.
Jimmy는 흥미로운 이야기를 할 수 있다.

3 Can I call you back?
내가 네게 다시 전화해도 되니?

4 Kate cannot jump rope.
Kate는 줄넘기를 할 수 없다.

바로 훈련

5 가능, James는 중국어로 편지를 쓸 수 있다.
6 허락, 네 우산을 빌려도 될까?
7 가능, 나는 음악에 맞춰 춤을 출 수 없다.
8 요청, 오늘 내 고양이를 돌봐 줄 수 있니?
9 허락, 너는 종이 위에 이 별을 풀로 붙여도 된다.

02 바로 예문

1 Will you move your bag from the chair?
가방을 의자에서 치워줄 수 있나요?

2 The sky will be clear tomorrow.
내일 하늘이 맑을 것이다.

3 I will get a good grade this time.
나는 이번에 좋은 점수를 얻겠다.

4 Will you give me some water?
물 좀 줄 수 있니?

바로 훈련

5 Lisa will clean up the kitchen today.
Lisa는 오늘 부엌을 청소할 것이다.

6 Will you put these books on the table?
이 책들을 탁자에 놓아줄 수 있나요?

7 David will find some information about the spider.
David는 그 거미에 대한 정보를 좀 찾을 것이다.

8 He won't be back in the office today.
그는 오늘 사무실에 돌아오지 않을 것이다.

9 Will you take a taxi to the airport?
너는 공항까지 택시를 탈 거니?

STEP 2 »» 독해력 Upgrade

pp. 66~67

1

Dolphins / come / up to the surface / to breathe. Then how do / they / breathe / while they / are sleeping?
돌고래는 호흡하기 위해 수면 위로 올라온다. 그렇다면 그들은 잠을 자는 동안에는 어떻게 호흡을 할까?
Surprisingly, only one half of their brain / sleeps / at a time. This / means / the other half / is / awake. So they /
놀랍게도, 한 번에 그들 뇌의 절반만 잠을 잔다. 이것은 다른 절반은 깨어 있다는 것을 뜻한다. 그래서 그
[1]**are able to** sleep / in the water / and swim / to the surface to breathe / at the same time. Dolphins / swim /
들은 물속에서 잠을 자고 동시에 호흡하기 위해 수면으로 헤엄칠 수 있다. 돌고래는 잠을 자는
slowly / while they / are sleeping. They / rest / on the seafloor / and sometimes rise / to the surface. They /
동안에는 천천히 헤엄을 친다. 그들은 해저에서 쉬고 있다가 때때로 수면으로 올라간다. 그들은
[2]**cannot** go / into a deep sleep, / but they / [3]**can** sleep / about 8 hours a day / in this way.
깊은 잠에 빠질 수는 없지만 이런 식으로 하루에 약 8시간 정도 잠을 잘 수 있다.

정답 ④

문제 해설 'They cannot go into a deep sleep, ~'에서 돌고래는 깊은 잠에 빠질 수 없다고 했으므로, ④는 글의 내용으로 적절하지 않다.

구문 해설 [1] be able to는 '~할 수 있다(가능)'라는 뜻으로 can으로 바꿔 쓸 수 있다.
[2] cannot은 can의 부정형이다.
[3] 가능을 나타내는 can이다.

2

A lot of jobs / will disappear / in the near future. Scientists / say / that robots / may take / many jobs away.
가까운 미래에 많은 직업이 사라질 것이다. 과학자들은 로봇들이 많은 직업을 빼앗을지도 모른다고 말한다.
Telemarketer, cashier, taxi driver, fast food cook, and sports referee jobs / are / some examples. So people / are /
전화 판매원, 계산원, 택시 운전사, 패스트푸드 요리사, 스포츠 심판 직업들이 몇 가지 예들이다. 그래서 사람들은 자
afraid / that they or their children / [1]**won't** be able to get / a job. But don't worry / too much. Many jobs / will still
신이나 자신의 자녀들이 직업을 얻지 못할까 봐 두려워한다. 하지만 너무 걱정하지 마라. 많은 직업이 여전히 쓸
be / available. We / [2]**will** still need / jobs / such as nurses, consultants, and teachers. These jobs / need / close
모 있을 것이다. 우리는 여전히 간호사, 상담사, 그리고 선생님 같은 직업들이 필요할 것이다. 이런 일들은 사람들과의 친밀
relationships with people. Also, artists and engineers / are / safe from robots / because they / need / creativity /
한 인간관계를 필요로 한다. 또한, 예술가와 기술자도 그들의 일을 하는 데 창의성이 필요하기 때문에 로봇들로부터 안전하다.
to do their work.

정답 ③

문제 해설 (A) 뒤 문장에서 과학자들이 '로봇들이 많은 직업을 빼앗을지도 모른다'라고 했으므로 직업들이 '사라질' 것이라는 것이 자연스럽다. (B) 직업을 얻지 못할 것에 대해 사람들이 '두려워하는' 것이 알맞다. (C) 예술가와 기술자는 그들의 일을 하는 데 창의성이 필요하기 때문에 로봇들로부터 '안전한' 것이 알맞다.

구문 해설 [1] won't[will not]는 will의 부정형이다.
[2] 미래를 나타내는 will이다.

STEP 1 >>> 구문 Start

pp. 68~69

03 바로 예문

1 She may go for a walk in the evening.
그녀는 저녁에 산책하러 갈지도 모른다.

2 May I speak to Mr. Brown?
Brown 씨와 통화해도 될까요?

3 He may not remember my name.
그는 내 이름을 기억 못 할지도 모른다.

4 May I come home late today?
제가 오늘 집에 늦게 들어가도 될까요?

바로 훈련

5 추측, 그가 가장 좋아하는 운동은 미식축구일지도 모른다.
6 허락, 제가 벽에 있는 풍선들을 터뜨려도 될까요?
7 추측, 오후에는 눈이 안 올지도 모른다.
8 허락, 제가 인터넷을 검색해도 될까요?
9 추측, Janet은 내 선물을 안 받을지도 모른다.

04 바로 예문

1 Must she show her ticket to you?
그녀는 당신에게 표를 보여 줘야 하나요?

2 We should not waste our time.
우리는 시간을 낭비해서는 안 된다.

3 The rumor must be true.
그 소문은 사실임에 틀림없다.

4 You should be careful on the icy road.
너는 빙판길에서 조심하는 것이 좋다.

바로 훈련

5 You should eat fresh seafood in summer.
여름에는 신선한 해산물을 먹는 것이 좋다.

6 My father must take medicine regularly.
우리 아버지는 약을 규칙적으로 드셔야 한다.

7 I don't have to lose weight.
나는 체중을 줄일 필요가 없다.

8 Helen has to finish her work by 8 p.m.
Helen은 오후 8시까지 그녀의 일을 끝내야만 한다.

9 He must be worried about the exam.
그는 그 시험에 대해 걱정하는 것이 틀림없다.

STEP 2 »» 독해력 Upgrade

pp. 70~71

3

Honey / [1]may be / one of the most mysterious foods; / it / never goes / bad. Some people / found / 2,000-year-old jars of honey / in Egyptian pyramids, / and the honey in them / still tasted / delicious! Since honey / is / a low-moisture food, / bacteria / cannot grow / easily in it / and it / doesn't go / bad. So you / don't have to keep / your honey / in the refrigerator. You / [2]may just keep / it / in a cool place / away from direct sunlight. Also, the "Best Before Date" / on honey buckets / [3]**may not** be / very important at all / because your honey / will never go / bad.

꿀은 가장 신비한 음식 중 하나일지도 모른다. 그것은 절대 상하지 않기 때문이다. 일부 사람들은 이집트의 피라미드에서 2,000년 된 꿀단지들을 발견했는데, 안에 들어 있던 꿀은 여전히 맛이 있었다! 꿀은 수분이 적은 음식이기 때문에, 박테리아는 그 안에서 쉽게 자랄 수 없어서 꿀은 상하지 않는다. 그래서 당신은 꿀을 냉장고에 보관할 필요가 없다. 당신은 그저 직사광선을 피해 서늘한 곳에 그것을 보관해도 된다. 또한, 꿀통에 있는 '유통 기한'도 전혀 중요하지 않을지도 모르는데, 그 이유는 당신의 꿀은 절대 상하지 않을 것이기 때문이다.

정답 ④

문제 해설 'Since honey is a low-moisture food, ~ it doesn't go bad.'에서 꿀은 수분이 적은 음식이기 때문에 박테리아가 쉽게 자랄 수 없어서 잘 상하지 않는다는 것을 알 수 있다.

구문 해설
[1] '~일지도 모른다'라는 뜻의 추측을 나타내는 may이다.
[2] '~해도 좋다/된다'라는 뜻의 허락을 나타내는 may이다.
[3] may의 부정형 may not이다. '~가 아닐지도 모른다'로 해석한다.

4

Ramadan / is / the ninth month of the Islamic calendar. During this month, / Muslims / [1]**must not** eat or drink / while the sun / is / up. However, they / [2]**may** eat / before sunrise and directly after sunset. The morning meal / is known / as the *suhoor*, / while the nighttime meal / is called / the *iftar*. Almost all Muslims / try / to give up bad habits / during Ramadan. And some / try / to become better Muslims / by praying more or reading the Qur'an. After a month, / Ramadan / ends / with the feast of *Eid Al-Fitr*. Friends and families / get together / for large meals. Some cities / have / large celebrations.

라마단은 이슬람 달력의 아홉 번째 달이다. 이달 동안 이슬람교도들은 태양이 떠 있는 동안에는 먹거나 마셔서는 안 된다. 하지만 그들은 해가 뜨기 전과 해가 진 직후에는 먹어도 된다. 아침 식사는 suhoor라고 알려져 있고, 야간 식사는 iftar라고 부른다. 거의 모든 이슬람교도는 라마단 동안에 나쁜 습관을 버리려고 노력한다. 그리고 어떤 사람들은 기도를 더 많이 하거나 코란을 읽음으로써 더 나은 이슬람교도가 되고자 노력한다. 한 달 후, 라마단은 Eid Al-Fitr라는 축제와 함께 끝난다. 친구들과 가족들은 성대한 식사를 위해 모인다. 어떤 도시들은 성대한 경축 행사를 한다.

정답 ①

문제 해설 (A) must not은 '~해서는 안 된다'라는 금지를 의미하므로 should not으로 바꿔 쓸 수 있고, (B) may는 '~해도 된다'라는 허락의 의미를 나타내므로, can으로 바꿔 쓸 수 있다.

구문 해설
[1] must not은 '~해서는 안 된다'라는 뜻의 금지를 나타낸다.
[2] may는 '~해도 된다'라는 뜻의 허락을 나타낸다.

STEP 3 »» 구문 Master

p. 72

구문+어법

1 Can
2 will
3 May
4 must
5 should
6 has to
7 must not
8 Can

구문 분석 노트

1 ① 목적어 ② 허락 ③ 놓아도 될까요
2 ① 보어 ② 미래 ③ 될 것이다
3 ① 주어 ② 추측 ③ 사실일지도 모른다
4 ① 목적어 ② 의무 ③ 매야 한다

구문+어법 해석/해설

1 너는 음악에 맞추어 춤을 출 수 있니?
음악에 맞추어 춤을 출 수 있는지 가능을 묻는 Can이 알맞다.

2 여름 방학은 3주 후에 끝날 것이다.
여름 방학이 3주 후에 끝날 것이라는 미래의 일을 나타내는 will이 알맞다.

3 책상 위에 있는 물을 좀 마셔도 될까요?
책상 위에 있는 물을 마셔도 되는지 허락을 구하는 May가 알맞다.

4 너는 학교 규칙을 따라야 한다.
학교의 규칙을 따라야 한다는 의무를 나타내는 must가 알맞다.

5 우리는 여름에 신선한 고기를 먹는 것이 좋다.
여름에는 신선한 고기를 먹는 것이 좋다는 충고를 나타내는 should가 알맞다.

6 Joan은 오늘 집에 일찍 가야 한다.
Joan은 오늘 집에 일찍 가야 한다는 의무를 나타내는 has to가 알맞다.

7 운전자들은 교통 법규를 어겨서는 안 된다.
운전자들은 교통 법규를 어겨서는 안 된다는 금지를 나타내는 must not이 알맞다.

8 제가 박물관에서 사진을 찍어도 될까요?
박물관에서 사진을 찍어도 되는지 허락을 묻는 Can이 알맞다.

WORKBOOK

pp. 22~25

A
1. 허락 2. ~할 수 있다 3. will
4. 미래 5. ~하겠다 6. ~일지도 모른다
7. must 8. ~임에 틀림없다
9. 충고 10. not

B
1. 편지 2. 신비한 3. 맑은
4. 호흡하다 5. 나타나다 6. 풀로 붙이다
7. 가장 좋아하는 8. 수면 9. 인간관계
10. 기술자 11. delicious 12. information
13. grade 14. forgive 15. creativity
16. remember 17. go for a walk
18. show 19. afraid 20. take away

C
1. during 2. disappear 3. rest
4. park 5. waste

D
1. Will you help, 내가 설거지하는 것을 도와줄래?
2. must be, Tony는 친절하고 정직함에 틀림없다.
3. May I take, 제가 오븐에서 케이크를 꺼내도 될까요?
4. is able to write, Janet은 스페인어로 그녀의 이름을 쓸 수 있다.
5. should be, 너는 여름에 날생선 먹는 것을 주의해야 한다.

E
1. Can you help me with my homework?
2. She won't forgive him easily.
3. He may go for a walk this afternoon.
4. You must follow the traffic rules.
5. Jane must be good at science.
6. You may keep the honey in a cool place.
7. You should be careful on the icy road.
8. A lot of jobs will disappear in the near future.

F
1. Can[May] I borrow
2. will finish in two weeks
3. favorite subject may be music
4. should[must] not waste our time
5. able to speak five languages
6. May[Can] I go with you
7. should[must] not eat or drink
8. must[have to] come up to the surface

Unit 7 명사를 수식하는 어구

STEP 1 ⋙ 구문Start

pp. 74~75

01 바로 예문

1 Cindy has many friends.
Cindy는 많은 친구들을 가지고 있다.

2 There are old shoes in the box.
상자에 오래된 신발이 있다.

3 We heard a bad news this morning.
우리는 오늘 아침에 나쁜 소식을 들었다.

4 I want to buy something cute for my little sister.
나는 내 여동생을 위해 귀여운 무언가를 사고 싶다.

바로 훈련

5 There is someone strange at the door.
현관에 낯선 누군가가 있다.

6 Einstein is a great person in science history.
아인슈타인은 과학사에서 훌륭한 인물이다.

7 Visiting the post office first is a good idea.
우체국을 먼저 방문하는 것은 좋은 생각이다.

8 The story gives us an important lesson.
그 이야기는 우리에게 중요한 교훈을 준다.

9 We need somebody kind and honest.
우리는 친절하고 정직한 누군가를 필요로 한다.

02 바로 예문

1 The tired man wants to take a break.
그 지친 남자는 휴식을 취하기를 원한다.

2 He met a crying kid on the street.
그는 거리에서 울고 있는 아이를 만났다.

3 I found fallen leaves in the yard.
나는 마당에서 떨어진 낙엽들을 발견했다.

4 The family got out of the burning house.
그 가족은 불타고 있는 집에서 나왔다.

바로 훈련

5 She told me the surprising news in the morning.
그녀는 아침에 나에게 놀라운 소식을 말해 주었다.

6 The dancing boy on the stage is my cousin.
무대에서 춤을 추고 있는 소년은 내 사촌이다.

7 They are greeting the invited guests with a smile.
그들은 미소로 초대된 손님들을 맞이하고 있다.

8 When will you fix the broken windows?
너는 언제 깨진 창문을 수리할 거니?

9 Watching the rising sun is a great experience.
떠오르는 태양을 보는 것은 멋진 경험이다.

STEP 2 ⋙ 독해력 Upgrade

pp. 76~77

1

When Galen / was / just eight years old, / he / saved / ❶**many** children's lives. Galen and twenty other pupils / were going / home / on the school bus. As the bus / was traveling / down a country road, / the bus driver / became / very sick. He / wasn't able to drive / the bus. It / was heading / toward a cliff. Something / had to be done / to stop the bus. Galen / jumped / onto the driver's lap. He / changed / the direction of the bus / away from the cliff / and drove / into a field. Everyone / was saved, / and no one / was / hurt. The next day / the bus driver / was feeling / better, / and Galen / was called / a ❷**little** superman.

Galen이 겨우 8살이었을 때, 그는 많은 아이들의 목숨을 구했다. Galen과 20명의 다른 학생들은 통학 버스로 집에 가고 있었다. 버스가 시골길을 따라 이동하는 도중에 버스 운전기사가 매우 아프기 시작했다. 그는 버스를 운전할 수가 없었다. 버스는 절벽을 향해 가고 있었다. 버스를 멈추기 위해 뭔가를 해야 했다. Galen은 운전기사의 무릎 위로 뛰어올랐다. 그는 버스의 방향을 절벽에서 벗어나게 바꾸고 들판으로 운전했다. 모두가 구조됐고, 아무도 다치지 않았다. 다음날 버스 운전기사는 많이 좋아졌고, Galen은 작은 슈퍼맨으로 불렸다.

정답 ③

문제 해설 Galen이 겨우 8살이었을 때, 갑작스럽게 아픈 버스 운전기사를 대신해서 절벽으로 향하던 버스의 방향을 들판으로 돌려 모두의 생명을 구했다는 내용이므로 ③ '작지만 큰 영웅'이 글의 제목으로 가장 적절하다.
① 운전을 즐기는 방법 ② 버스 운전의 위험성 ④ 버스 운전법 ⑤ 건강 관리의 중요성

구문 해설 ❶ 형용사 many는 명사구 children's lives를 수식한다.
❷ 형용사 little은 명사 superman을 수식한다.

2

The Masai / live / between Kenya and Tanzania. Their houses / are made / from sticks, grass, and mud. They / move / their homes from time to time / to follow their cattle / because the animals / are / very important / to the Masai. They / think / of the cattle / as family members. The family / names / the cattle / and knows / each animal's voice. All the Masai / wear / large hoops in their ears, / and they / speak / their own language. All the women and children / have / a **shaved** head.

마사이족은 케냐와 탄자니아 사이에 산다. 그들의 집은 나뭇가지, 풀, 진흙으로 만들어졌다. 그들은 자신들의 가축을 따라가기 위해 때때로 자신들의 집을 옮기는데, 왜냐하면 그 동물들은 마사이족에게 매우 중요하기 때문이다. 그들은 가축을 가족 구성원으로 생각한다. 가족은 가축들에게 이름을 지어주고 각 동물의 목소리를 알고 있다. 모든 마사이족은 귀에 커다란 고리를 끼고 있으며, 그들은 자신의 고유한 언어를 말한다. 모든 여성과 어린이들은 면도한 머리를 하고 있다.

정답 ⑤

문제 해설 마지막 문장 'All the women and children have a shaved head.'에서 마사이족의 모든 여성과 어린이들은 머리를 면도한다는 것을 알 수 있다. 따라서 ⑤는 글의 내용으로 적절하지 않다.

구문 해설 과거분사 shaved는 명사 head를 수식한다.

STEP 1 »» 구문 Start

pp. 78~79

03 바로 예문

1 Do you want something to drink?
너는 마실 것을 좀 원하니?

2 We need some chairs to sit on.
우리는 앉을 의자가 필요하다.

3 She doesn't have much time to relax.
그녀는 쉴 시간이 많이 없다.

4 I am looking for a friend to play with.
나는 함께 놀 친구를 찾고 있다.

바로 훈련

5 He had a magazine to read.
그는 읽을 잡지를 가지고 있었다.

6 We found a new apartment to live in.
우리는 살 새 아파트를 찾았다.

7 Brian has math homework to finish by tomorrow.
Brian은 내일까지 끝내야 하는 수학 숙제가 있다.

8 Can I have a piece of paper to write on?
내가 쓸 종이 한 장을 얻을 수 있니?

9 There are lots of things to pack in a suitcase.
여행 가방에 싸야 할 많은 것들이 있다.

04 바로 예문

1 I love Van Gogh's painting on the wall.
나는 벽에 걸린 반 고흐의 그림이 무척 마음에 든다.

2 The fish in the pond are colorful.
연못에 있는 물고기는 색이 화려하다.

3 Steven is a member of the book club.
Steven은 독서 동아리의 회원이다.

4 The man at the bus stop helped me.
버스 정류장에 있는 그 남자가 나를 도왔다.

바로 훈련

5 Do you know the girl with long hair?
너는 긴 머리를 가진 그 소녀를 알고 있니?

6 She received a letter from her daughter.
그녀는 그녀의 딸에게서 편지 한 통을 받았다.

7 The children at the playground look excited.
운동장에 있는 아이들은 신나 보인다.

8 All the teachers of my school are very friendly.
우리 학교의 모든 선생님은 매우 친절하다.

9 Peter lives in the house between two trees.
Peter는 나무 두 그루 사이에 있는 그 집에 산다.

3

Mother's Day / is / an important day. It / is / a day when children / can show / their mothers / how much / they /
어머니의 날은 중요한 날이다. 그날은 아이들이 그들의 어머니들에게 그들이 얼마나 사랑하는지를 보여 줄 수 있는
love / them. Many children / give / flowers / to their mothers. This / makes / their mothers / very happy. But most
날이다. 많은 아이들이 그들의 어머니들에게 꽃을 선물한다. 이것은 어머니들을 매우 행복하게 만든다. 그러나
of the people / who live / near Mrs. Johnson's flower shop / are / poor. The children / don't have / any money /
Johnson 부인의 꽃 가게 근처에 사는 대부분의 사람들은 가난하다. 아이들은 꽃을 살 돈이 없다.
[1]**to buy flowers**. Mrs. Johnson / wants / to help them. The children / work / one hour for Mrs. Johnson. They /
Johnson 부인은 그들을 도와주고 싶었다. 아이들은 Johnson 부인을 위해 1시간 일한다. 그들은
clean / the windows / and sweep / the sidewalk or floor of the shop. Then Mrs. Johnson / gives / each of them /
창문을 닦고, 인도나 가게의 바닥을 쓴다. 그러면 Johnson 부인은 그들 각자에게 그들의 어
flowers / [2]**to take home** for their mothers. All the mothers / who live / near Mrs. Johnson's flower shop / have / a
머니를 위해 집으로 가져갈 꽃을 준다. Johnson 부인의 꽃 가게 근처에 사는 모든 어머니들은 멋진 어머니의 날을 보낸다.
wonderful Mother's Day.

정답 ④

문제 해설 주어진 문장은 아이들이 Johnson 부인을 위해 하는 일이 구체적으로 무엇인지에 대한 내용이므로 아이들이 Johnson 부인을 위해 1시간 일한다는 문장 뒤 ④에 들어가는 것이 가장 적절하다.

구문 해설 [1] to부정사구인 to buy flowers는 앞의 명사 money를 수식한다.
[2] to부정사구인 to take home은 앞의 명사 flowers를 수식한다.

4

Many people / have probably experienced / losing their cell phones. If they / are / lucky, / their phone / will be
많은 사람들이 아마도 자신의 휴대 전화를 잃어버린 경험이 있을 것이다. 그들이 운이 좋다면, 그들의 전화기는 그들에게
returned / to them. But if they / aren't, / it / will be gone / forever. Here / is / an interesting story / [1]**about a lucky**
돌아올 것이다. 하지만 그렇지 않다면 그것은 영원히 사라질 것이다. 여기 한 운 좋은 사람에 대한 흥미로운 이야기가 있다.
person. One day / a man / lost / his phone / at the beach. He / thought / he / would never see / it again. But a week
어느 날 한 남자가 해변에서 자신의 전화기를 잃어버렸다. 그는 그것을 다시는 못 볼 것으로 생각했다. 하지만 일주
later / his friend / got / a call. It / was / from the man's lost phone. The person / who called / was / a fisherman. He /
일 후 그의 친구는 전화를 한 통 받았다. 그것은 그 남자의 잃어버린 전화로부터 온 것이었다. 전화를 건 사람은 어부였다. 그는
said, / "Your friend / must be / a very lucky person. His phone / was / inside the belly [2]**of a fish**. Surprisingly, it / still
"당신의 친구는 아주 운이 좋은 사람임이 틀림없습니다. 그의 전화기는 물고기의 배 속에 있었어요. 놀랍게도 그것은 여전
works."
히 작동합니다."라고 말했다.

정답 ④

문제 해설 나머지는 모두 전화기를 잃어버린 한 남자(a man)를 가리키지만, ④ The person은 남자의 전화기를 주워 준 사람, 즉 어부(fisherman)를 가리킨다.

구문 해설 [1] 전치사구인 about a lucky person은 앞의 명사구 an interesting story를 수식한다.
[2] 전치사구인 of a fish는 앞의 명사구 the belly를 수식한다.

STEP 3 ≫ 구문 Master

p. 82

구문+어법

1 exciting
2 fried
3 to think
4 with
5 from
6 in
7 to write with
8 fallen

구문 분석 노트

1 ① 과거분사 ② chair ③ 망가진 의자
2 ① 형용사 ② something ③ 흥미로운 무언가
3 ① to부정사 ② 형용사적 용법 ③ 읽을 책 몇 권
4 ① 전치사구 ② The woman ③ 검은 머리를 가진

구문+어법 해석/해설

1 스키는 신나는 스포츠이다.
'신나는'을 의미하는 현재분사인 exciting이 알맞다.

2 탁자 위에 있는 볶음밥을 먹어도 될까요?
'(기름에) 볶은'을 의미하는 과거분사 fried가 알맞다.

3 제게 생각할 시간을 좀 주시겠어요?
'생각할'의 의미로 time을 뒤에서 수식하는 것은 to부정사인 to think가 알맞다.

4 자신의 고양이와 함께 있는 그 소녀는 내 여동생이다.
'~와 함께'를 의미하는 with가 알맞다.

5 Julia는 그녀의 아버지에게서 온 상자를 열었다.
'~에게서'를 의미하는 from이 알맞다.

6 교실에 있는 학생들은 졸려 보인다.
교실 안을 가리키므로 in이 알맞다.

7 쓸 연필을 가져오는 것을 잊지 마라.
to부정사가 수식하는 명사 a pencil이 write with의 목적어이므로 to부정사 뒤에 전치사를 쓴 to write with가 알맞다.

8 나는 나무에서 떨어진 낙엽 위를 걸었다.
'떨어진' 나뭇잎을 의미하므로 과거분사인 fallen이 알맞다.

WORKBOOK

pp. 26~29

A 1. 형용사 2. -thing 3. -body
4. -one 5. ~하는 6. ~된
7. to부정사 8. 뒤 9. ~할
10. 명사

B 1. 역사 2. 중요한 3. 경험; 경험하다
4. 절벽 5. 쓸다 6. 사촌
7. 색이 화려한 8. 딸 9. 면도하다
10. 놀랍게도 11. strange 12. burn
13. pack 14. sidewalk 15. direction
16. present 17. playground
18. voice 19. return 20. fisherman

C 1. pond 2. language 3. inside
4. something 5. invite

D 1. sweet, 나는 보통 식사 후에 단 무언가를 원한다.
2. falling, 밤하늘에 떨어지는 별들 좀 봐.
3. used, 우리 아버지는 곧 중고차를 사실 것이다.
4. to wear, Judy는 파티에서 입을 드레스를 살 것이다.
5. with, Peter는 빨간 문을 가진 집에 산다.

E 1. He is looking for something fun.
2. The surprised people shouted loudly.
3. Restaurants in my town are very nice.
4. There are lots of things to pack in a suitcase.
5. Do you know the girl with long hair?
6. He received a letter from his daughter yesterday.
7. All the women and children have a shaved head.
8. He saved many children's lives.

F 1. We heard the surprising news
2. you see a flying kite
3. tired man wants to take a break
4. someone to rely on
5. the apples on the table
6. The children at the playground
7. an interesting story about a lucky man
8. don't have any money to buy

Unit 8 부사 역할을 하는 어구

STEP 1 »» 구문 Start

pp. 84~85

01 바로 예문

1 Does Jamie use chopsticks well?
Jamie는 젓가락을 잘 사용하니?

2 Sue was quite ill this morning.
Sue는 오늘 아침에 꽤 아팠다.

3 He went down the ladder very carefully.
그는 사다리를 매우 조심히 내려왔다.

4 Happily, our names are on the list.
행복하게도 우리의 이름이 명단에 있다.

바로 훈련

5 It is raining heavily all day long.
온종일 비가 세차게 내리고 있다.

6 How do you speak French so well?
어떻게 너는 프랑스어를 그렇게 잘 말하니?

7 The train will leave the station slowly.
기차는 역을 천천히 떠날 것이다.

8 The restaurant is very busy at lunchtime.
그 식당은 점심시간에 매우 바쁘다.

9 Unluckily, the boy lost his wallet on the subway.
불행히도 그 소년은 그의 지갑을 지하철에서 잃어버렸다.

02 바로 예문

1 Mr. Brown is usually in the garden on Sundays.
Brown 씨는 일요일마다 보통 정원에 있다.

2 I will never tell a lie to my friends.
나는 절대 내 친구들에게 거짓말을 하지 않을 것이다.

3 Julia often bakes chocolate chip cookies.
Julia는 종종 초콜릿 칩 쿠키를 굽는다.

4 They hardly have time to talk each other.
그들은 서로 이야기할 시간이 거의 없다.

바로 훈련

5 She is always on time to school.
그녀는 항상 학교에 정시에 온다.

6 My mother hardly knocks on the door.
우리 어머니는 방문을 거의 두드리지 않으신다.

7 Tommy usually gives a quick reply.
Tommy는 보통 빠른 회신을 준다.

8 I will never miss the chance again.
나는 절대 기회를 다시 놓치지 않을 것이다.

9 A cup of tea can sometimes relieve your stress.
한 잔의 차는 가끔 당신의 스트레스를 덜어 줄 수 있다.

STEP 2 »» 독해력 Upgrade

pp. 86~87

1

Floods / happen / during heavy rains, / when rivers / overflow, / when snow / melts / too ❶**fast**, / or when dams / break. They / are / the most common natural weather event. Floods / can occur / with just a few centimeters of water, / or they / can hit / the whole town. When floods / happen, / listen / to the news ❷**carefully** / and follow / the directions of authorities and safety officials. If there / is / any possibility of a flood, / move / ❸**immediately** / to higher ground. And help / your family / move / important items / to an upper floor. Never walk / through moving water. Even 15 centimeters of water / can make / you / fall down.

홍수는 폭우가 내리는 동안이나, 강이 넘칠 때, 눈이 너무 빨리 녹을 때, 또는 댐이 무너질 때 발생한다. 그것들은 가장 흔한 자연의 기상 이변이다. 홍수는 단 몇 센티미터의 물로도 발생할 수 있고, 또는 마을 전체를 덮칠 수 있다. 홍수가 발생하면, 뉴스를 주의 깊게 듣고 당국과 안전 담당 공무원들의 지시를 따르라. 만약 홍수의 가능성이 있으면, 즉시 더 높은 지면으로 이동하라. 그리고 당신의 가족이 중요한 물건들을 위층으로 옮기는 것을 도와라. 흐르는 물은 절대 걸어서 지나가지 마라. 15센티미터의 물로도 당신을 넘어뜨릴 수 있다.

정답 ⑤

문제 해설 'Never walk through moving water.'에서 흐르는 물은 절대 걸어서 지나가지 말라고 했으므로, ⑤는 홍수 발생 시 취해야 할 행동으로 적절하지 않다.

구문 해설
❶ 부사 fast는 동사 melts를 수식한다.
❷ 부사 carefully는 동사 listen을 수식한다.
❸ 부사 immediately는 동사 move를 수식한다.

2

When pets / get / sick, / you / can ❶usually take / them / to an animal doctor or an animal hospital.
애완동물이 병에 걸리면, 당신은 보통 수의사나 동물 병원에 그들을 데려갈 수 있다.
❷Sometimes you / will not be able to take / your pets / to the hospital / because they / are / too sick or hurt.
가끔 당신은 애완동물이 너무 아프거나 다쳐서 그들을 병원으로 데려가지 못할 수도 있을 것이다.
That / is / why Dr. Luke / started / his traveling hospital.
그것이 Luke 박사가 이동 병원을 시작한 이유이다.
He / drives / his hospital / –it / is / actually a van– / to the home of the pet / that needs help.
그는 병원을 —실제로는 밴인데— 도움이 필요한 애완동물의 집으로 운행한다.
The van / has / an operating table, medicines, and almost everything else / that is needed / to treat animals.
그 밴은 수술대, 의약품, 그리고 동물을 치료하는 데 필요한 거의 모든 것을 갖추고 있다.
Dr. Luke / has run / the hospital / for over ten years.
Luke 박사는 10년 넘게 병원을 운영해 왔다.
He / has saved / the lives of many pets.
그는 많은 애완동물들의 생명을 구했다.
Dr. Luke / says / that there / will soon be / many more traveling hospitals / to help sick or hurt animals.
Luke 박사는 아프거나 다친 동물들을 돕는 더 많은 이동 병원이 곧 생길 것이라고 말한다.

정답 ③

문제 해설 글의 두 번째, 세 번째 문장에서 Luke 박사가 이동 병원을 시작한 이유는 가끔 애완동물들이 너무 아프거나 다치면 그들을 병원으로 데려가지 못할 수도 있기 때문이라고 했으므로, ③이 가장 적절하다.

구문 해설
❶ 빈도부사 usually는 '보통'을 의미한다.
❷ 빈도부사 sometimes는 '가끔'을 의미한다.

STEP 1 »» 구문 Start

pp. 88~89

03 바로 예문

1 Jake got up early to take a boat.
Jake는 보트를 타기 위해 일찍 일어났다.

2 She was upset to fail the exam.
그녀는 시험에 떨어져서 속상했다.

3 The actor lived to be 60 years old.
그 배우는 60살까지 살았다.

4 Anne must be smart to solve the situation.
그 상황을 해결하다니 Anne은 똑똑한 게 틀림없다.

바로 훈련

5 Emily was glad to invite everyone in the class.
Emily는 반에 있는 모두를 초대해서 기뻤다.

6 The little boy grew up to be the president.
그 작은 소년은 자라서 대통령이 되었다.

7 She must be brave to talk to a foreigner.
외국인에게 말을 걸다니 그녀는 용감한 게 틀림없다.

8 Don't put too much salt in the food to stay healthy.
건강을 유지하기 위해 음식에 소금을 너무 많이 넣지 마라.

9 The firefighter ran into the building to save a man.
그 소방관은 한 남자를 구하기 위해 건물 안으로 뛰어 들어갔다.

04 바로 예문

1 The dog is running around in the yard.
그 개는 마당에서 뛰어다니고 있다.

2 Kelly took a walk along the river.
Kelly는 그 강을 따라서 산책을 했다.

3 Nick enjoyed water-skiing during the summer.
Nick은 여름 동안 수상 스키를 즐겼다.

4 My family went to Busan by train.
우리 가족은 기차를 타고 부산에 갔다.

바로 훈련

5 Stella left her cell phone at home.
Stella는 그녀의 휴대 전화를 집에 두고 왔다.

6 Is there a drugstore near your school?
너희 학교 근처에 약국이 있니?

7 Tony hid behind the curtain.
Tony는 그 커튼 뒤에 숨었다.

8 Amy took a one day trip by bus to Sydney.
Amy는 시드니에 버스로 당일 여행을 했다.

9 My mother takes medicine in the morning.
우리 어머니는 아침에 약을 드신다.

STEP 2 ≫ 독해력 Upgrade

pp. 90~91

3

When you / go / to a tropical island, / what should / you / be / careful of? You / may ask / yourself / some
당신이 열대 섬에 가면, 무엇을 조심해야 할까? 당신은 당장 자신에게 몇 가지 질문들
questions / right away. What if / a snake / gets into / my bed? What if / a shark / bites / my leg? But what you /
을 던질지도 모른다. 만약 뱀이 내 침대에 들어오면 어쩌지? 만약 상어가 내 다리를 물면 어쩌지? 그러나 당신이 정
really should be / careful of / is / the coconuts! In fact, you / are / unlikely to get hurt / by snakes or sharks / on
말 주의해야 하는 것은 코코넛이다! 사실, 당신이 열대 섬에서 뱀이나 상어에 다칠 가능성은 적다.
tropical islands. But there / are / many coconut trees, / and coconuts / can fall / on your head! They / can weigh /
그러나 그곳에는 코코넛 나무가 많이 있고, 코코넛이 당신의 머리 위로 떨어질 수 있다! 코코넛은 물이 가득
up to 2 kilos / because they / are / full of water. You / may be surprised / **❶to know** / that falling coconuts / kill /
차 있기 때문에 2킬로까지 나갈 수 있다. 당신은 떨어지는 코코넛이 매년 약 150명의 목숨을 빼앗는다는 것을 알면
about 150 people / each year. **❷To avoid an accident**, / you / had better not sleep or rest / under a coconut tree.
놀랄지도 모른다. 사고를 피하기 위해서, 당신은 코코넛 나무 아래에서 잠을 자거나 쉬지 않는 것이 좋다.

정답 ③

문제 해설 열대 섬에서 뱀이나 상어의 공격을 당해 다칠 가능성은 적고, 코코넛이 머리 위로 떨어져서 죽는 사람은 매년 약 150명이나 된다는 사실을 설명하는 글이므로 ③ '코코넛을 조심하라!'가 글의 제목으로 가장 적절하다.
① 열대 섬에서 코코넛을 즐겨라 ② 뱀과 상어의 위험성 ④ 사람들이 열대 섬을 방문하는 이유 ⑤ 코코넛 나무 재배 방법

구문 해설 ❶ 감정의 원인을 나타내는 to부정사구이다.
❷ 목적을 나타내는 to부정사구이다.

4

Have / you / ever heard / someone / say, / "I / have / butterflies / **❶in my stomach**"? How did / butterflies / get /
당신은 누군가가 "내 배 속에 나비들이 있어."라고 말하는 것을 들어본 적이 있는가? 어떻게 나비가 그 사람의 배 속
in the person's stomach? Well, those / aren't / really butterflies / in there. "Butterflies / in the stomach" / is / a way of
에 들어갔을까? 자, 그 안에 있는 그것들은 실제로 나비가 아니다. '배 속의 나비들'이라는 것은 당신의 긴장된 감정을
expressing your nervous feelings. A writer / created / it / to express those feelings, / and people / have used / it /
표현하는 한 방법이다. 어떤 작가가 그러한 감정을 표현하기 위해 그것을 만들어 냈고, 그 이후로 사람들이 그것을
ever since. To be a good writer, / you / should read and write / as much as you can. The next time you / get / those
사용해 왔다. 좋은 작가가 되기 위해 당신은 가능한 한 많이 읽고 써야 한다. 다음번에 당신이 시험이나 중요한
feelings / **❷before a test or an important match**, / just say / to your friend, / "I / have / butterflies / in my
시합 전에 그러한 감정을 가지게 되면, 친구에게 "마음이 조마조마해."라고 말해 보라.
stomach."

정답 ④

문제 해설 이 글은 'butterflies in one's stomach'가 긴장된 감정을 나타내는 표현임을 설명하고 있다. ④는 좋은 작가가 되기 위해서는 많이 읽고 써야 한다는 내용이므로, 글의 전체 흐름과 관계 없다.

구문 해설 ❶ 장소를 나타내는 전치사구로 동사 have를 수식한다.
❷ 시간을 나타내는 전치사구로 동사 get을 수식한다.

STEP 3 ≫ 구문 Master

p. 92

구문+어법

1 is always
2 hardly sends
3 to be
4 on
5 by
6 to ask
7 fast
8 usually go

구문 분석 노트

1 ① 부사 ② hard ③ 열심히
2 ① 빈도부사 ② 일반동사 ③ 거의 실수하지 않는다
3 ① to부정사구 ② waited ③ 표를 사기 위해
4 ① 전치사구 ② hit ③ 망치로

구문+어법 해석/해설

1 Ben은 항상 학교에 늦는다.
빈도부사는 be동사 뒤에 위치하므로 is always가 알맞다.

2 우리 어머니는 나에게 편지를 거의 보내지 않으신다.
빈도부사는 일반동사 앞에 위치하므로 hardly sends가 알맞다.

3 그 작은 소녀는 자라서 패션모델이 되었다.
자라서 패션 모델이 되었다는 결과의 의미를 나타내므로 to부정사(부사적 용법)인 to be가 알맞다.

4 Kate는 주말마다 케이크를 굽는다.
'주말마다'라는 의미로 시간을 나타내는 전치사 on이 알맞다.

5 Tom과 나는 버스를 타고 로봇 박물관에 갈 것이다.
'버스를 타고'라는 의미로 방법을 나타내는 전치사 by가 알맞다.

6 Vicky는 질문을 하기 위해서 그녀의 손을 들었다.
'질문을 하기 위해서'라는 목적의 의미를 나타내므로 to부정사(부사적 용법)인 to ask가 알맞다.

7 그 고양이는 울타리를 매우 빨리 뛰어넘었다.
fast는 형용사와 부사의 형태가 같으므로 '빨리'라는 뜻의 부사 fast가 알맞다.

8 그들은 보통 아침에 산책을 하러 간다.
빈도부사는 일반동사 앞에 위치하므로 usually go가 알맞다.

WORKBOOK

pp. 30~33

A
1. 동사 2. 형용사 3. always
4. often 5. sometimes 6. 거의 ~않다
7. ~하기 위해서 8. ~해서 …하다
9. 장소 10. 시간

B
1. 젓가락 2. 아픈 3. 사다리
4. 두드리다 5. 가능성이 적은
6. 소방관 7. 즉시 8. 불꽃놀이
9. 긴장한 10. 의약품 11. speech
12. bake 13. avoid 14. treat
15. president 16. climb 17. flood
18. butterfly 19. create 20. overflow

C
1. foreigner 2. leave 3. hardly
4. lose 5. mistake

D
1. quickly, 그 강아지는 그의 꼬리를 빠르게 움직였다.
2. is always, 새로운 사람들을 만나는 것은 항상 재미있다.
3. to lose, Jenny는 내 지우개를 잃어버려서 매우 미안해했다.
4. from, 무거운 무언가가 지붕으로부터 떨어졌다.
5. near, 우리는 공원 근처에서 바비큐 파티를 할 것이다.

E
1. Jamie was quite sick this morning.
2. I will never make the same mistake again.
3. You must be lucky to get the present.
4. The book was difficult to understand.
5. Lisa went to the beach by bus.
6. My uncle climbs the mountains on weekends.
7. Never walk through moving water.
8. My father sometimes goes to work on foot.

F
1. will leave the station slowly
2. hardly gives us fast food
3. grew up to be an artist
4. turned off the TV to do homework
5. a famous bakery near my house
6. gets up at six o'clock
7. surprised to know the fact
8. often feel nervous before a test

Unit 9 여러 가지 연결 어구

STEP 1 ≫ 구문 Start

pp. 94~95

01 바로 예문

1 He will wash the dishes and clean the room.
그는 설거지를 하고 방을 청소할 것이다.

2 This ring is pretty but expensive.
이 반지는 예쁘지만 비싸다.

3 Can we go there by bus or by taxi?
우리는 거기에 버스나 택시로 갈 수 있나요?

4 The elevator was broken, so I used the stairs.
엘리베이터가 고장 나서 나는 계단을 이용했다.

바로 훈련

5 My suitcase is big but light.
내 여행 가방은 크지만 가볍다.

6 Ted likes watching stars and reading books.
Ted는 별 보는 것과 책 읽는 것을 좋아한다.

7 You can write an e-mail or call me anytime.
너는 언제든지 이메일을 쓰거나 나에게 전화할 수 있다.

8 Kyle is a clever person, so everybody likes him.
Kyle은 영리한 사람이어서 모두가 그를 좋아한다.

9 Joe went to a clothing store and bought a white blouse.
Joe는 옷가게에 가서 흰 블라우스를 샀다.

02 바로 예문

1 We will visit either France or Germany.
우리는 프랑스나 독일 중 한 곳을 방문할 것이다.

2 Bob is not only honest but also diligent.
Bob은 정직할 뿐만 아니라 부지런하다.

3 Exercise is good for both body and mind.
운동은 몸과 마음 둘 다에 좋다.

4 Neither Kate nor Jim likes history.
Kate와 Jim 둘 다 역사를 좋아하지 않는다.

바로 훈련

5 Either Jenny or Mike will solve the puzzle.
Jenny나 Mike 둘 중 한 명이 그 수수께끼를 풀 것이다.

6 Nancy neither wants to stay inside nor wants to go out.
Nancy는 안에 있고 싶지도 않고 밖에 나가고 싶지도 않다.

7 Both eagles and wolves hunt deer.
독수리와 늑대 둘 다 사슴을 사냥한다.

8 Eden is not from Australia but from New Zealand.
Eden은 호주 출신이 아니라 뉴질랜드 출신이다.

9 This camera is not only easy to use but also light to carry.
이 카메라는 사용하기에 쉬울 뿐만 아니라 가지고 다니기에 가볍다.

STEP 2 ≫ 독해력 Upgrade

pp. 96~97

1

The new school year / always brings / new friends, / new teachers, / [1]and unfortunately new germs. But don't worry. If you / follow / these tips, / you / won't get / sick / and have to be / absent from school. First, wash / your hands / with soap and water / after you / sneeze, / cough, / [2]or use / the bathroom. Count / to 20 / while you / scrub! Second, don't share / water bottles or drinks. Your friend / may not know / that he or she / is / sick, / and the germs / can spread / to you. Third, eat / lots of fruits and vegetables / and exercise / every day. That / can help / you / fight off illnesses / before germs / make / you / sick!

새 학년은 항상 새로운 친구와 새로운 선생님, 그리고 불행히도 새로운 세균을 가져온다. 하지만 걱정하지 마라. 만약 당신이 이 조언들을 따른다면, 당신은 병에 걸리지 않을 것이고 학교에 결석하지 않아도 될 것이다. 먼저, 재채기나 기침을 하거나 화장실을 사용한 후에는 비누와 물로 손을 씻어라. 문지르는 동안 20까지 세라! 둘째, 물병이나 음료수를 나누어 마시지 마라. 당신의 친구는 자신이 아프고 그 세균이 당신에게 퍼질 수 있다는 것을 모를지도 모른다. 셋째, 과일과 채소를 많이 먹고 매일 운동해라. 그것은 세균이 당신을 아프게 하기 전에 당신이 질병과 싸우는 것을 도와줄 수 있다!

정답 ②

문제 해설 ② 충분히 잠을 자라는 내용은 이 글의 내용으로 적절하지 않다.

구문 해설 [1] 등위접속사 and(~와/과)는 앞뒤의 명사구를 대등하게 이어준다.
[2] 등위접속사 or(~나)는 앞뒤의 동사를 대등하게 이어준다.

2

Like many boys, / Mel Fischer / liked / to read / about treasure ships. When he / became / a grown-up, / Mel / began / his search. In 1968, / he / went looking for / the *Atocha*, / a ship that / had sunk / long ago / with lots of treasure. Mel / spent / seventeen years / searching for that ship. Along the way, / he / ran out of / money. Luckily, his helpers / said / they / would work / for nothing. But then there / was / an accident. **Not only** his son / **but also** his daughter-in-law / drowned. But he / never gave up / his dream. Finally, in 1985, / he / found / the *Atocha*, / and became / a millionaire. You / can see / the treasures / he / found / in his museum / in Florida.

다른 많은 소년들처럼, Mel Fischer는 보물선에 대해 읽는 것을 좋아했다. Mel이 성인이 됐을 때, 그는 탐사를 시작했다. 1968년에 그는 오래전에 많은 보물을 싣고 가라앉은 배인 Atocha를 찾고 있었다. Mel은 그 배를 찾는 데 17년을 보냈다. 그 과정에서 그는 돈을 다 써 버렸다. 다행히도 그의 조력자들이 무료로 일하겠다고 말했다. 그러나 그때 사고가 있었다. 그의 아들뿐만 아니라 그의 며느리도 익사했다. 그러나 그는 결코 자신의 꿈을 포기하지 않았다. 마침내 1985년에 그는 Atocha를 발견했고, 백만장자가 되었다. 당신은 플로리다에 있는 그의 박물관에서 그가 찾은 그 보물들을 볼 수 있다.

정답 ③

문제 해설 (B) Mel Fischer의 유년기 시절과 성인이 되어 Atocha를 찾기 시작한 내용이 오고, (A) 배를 찾는 도중 어려움을 만난 내용, (C) 꿈을 포기하지 않고 계속 탐사하여 마침내 배를 찾는 내용으로 이어지는 것이 적절하다.

구문 해설 'A 뿐만 아니라 B도'라는 뜻의 상관접속사 not only A but also B는 명사구 his son과 his daughter-in-law를 대등하게 이어준다.

STEP 1 »» 구문 Start

pp. 98~99

03 바로 예문

1 He uses a cell phone while he eats a meal.
그는 식사하는 동안 휴대 전화를 사용한다.

2 The children played until it was dark.
그 아이들은 어두워질 때까지 놀았다.

3 I will take out the garbage after I sweep the floor.
나는 바닥을 쓴 후에 쓰레기를 버릴 것이다.

4 The thief ran away as soon as he saw me.
그 도둑은 나를 보자마자 도망쳤다.

바로 훈련

5 When she was 7, she traveled to a lot of countries with her parents.
그녀가 7살이었을 때, 그녀는 부모님과 많은 나라를 여행했다.

6 Austin caught a cold after he walked in the rain.
Austin은 빗속을 걸은 후에 감기에 걸렸다.

7 I fell asleep while my mother was reading a book.
우리 어머니가 책을 읽으시는 동안 나는 잠이 들었다.

8 He didn't know the problem until I told him.
내가 그에게 말해줄 때까지 그는 그 문제를 알지 못했다.

9 Look both ways carefully before you cross the street.
너는 길을 건너기 전에 길 양쪽을 주의 깊게 살펴라.

04 바로 예문

1 If it is sunny tomorrow, he will go fishing.
내일 날씨가 맑다면, 그는 낚시하러 갈 것이다.

2 I turned on the light because I was too afraid.
나는 너무 무서웠기 때문에 불을 켰다.

3 Though I had a toothache, I didn't see a doctor.
나는 치통이 있었음에도 불구하고, 진찰을 받지 않았다.

4 If he comes home before six, we will eat out.
그가 6시 전에 집에 온다면, 우리는 외식을 할 것이다.

바로 훈련

5 If we recycle paper, we can save a lot of trees.
우리가 종이를 재활용한다면 우리는 많은 나무를 구할 수 있다.

6 Though it was raining heavily, we put up a tent.
비가 세차게 내렸음에도 불구하고 우리는 텐트를 쳤다.

7 Bob wore a suit because he had an important meeting.
Bob은 중요한 회의가 있었기 때문에 정장을 입었다.

8 Though he kept knocking the door, I didn't open it.
그가 계속 문을 두드렸음에도 불구하고 나는 문을 열지 않았다.

9 Jessie walked to school because she missed the bus.
Jessie는 버스를 놓쳤기 때문에 학교에 걸어갔다.

3

As you / know, / Albert Einstein / was / one of the most famous scientists / in the world. Lots of people / knew / his face / as well as his theories. And [1]**when** he / was walking / on the street, / people / always stopped / him / and asked, / "Are / you / Professor Einstein?" Then they / asked / him / to explain his theories. As so many people / wanted / to talk to him, / Einstein / began / to get tired of it. Finally, he / thought / of a good idea. [2]**As soon as** people / stopped / him, / he / said, "I / am / sorry, / but I / am not / Professor Einstein. I / am always mistaken / for him."

당신도 알다시피, 알베르트 아인슈타인은 세계에서 가장 유명한 과학자들 중 한 사람이었다. 많은 사람들이 그의 이론들뿐만 아니라 그의 얼굴도 알고 있었다. 그래서 그가 길을 걸을 때 사람들은 항상 그를 멈춰 세우고는 "당신은 아인슈타인 교수님이신가요?"라고 물었다. 그러고 나서 그들은 그에게 그의 이론들을 설명해 달라고 요청했다. 너무 많은 사람들이 그에게 말을 걸고 싶어 했기 때문에 아인슈타인은 그것에 싫증이 나기 시작했다. 마침내, 그는 좋은 아이디어를 생각해 냈다. 사람들이 그를 멈춰 세우자마자 그는 "죄송합니다만, 저는 아인슈타인 교수님이 아닙니다. 저는 항상 그 사람으로 오해를 받습니다."라고 말했다.

정답 ②

문제 해설 주어진 문장은 아인슈타인이 길을 걸을 때, 사람들이 그를 멈춰 세우고 항상 '당신은 아인슈타인 교수님이신가요?'라고 묻는다는 내용이므로, 사람들이 그에게 그의 이론들에 관해 설명해 달라고 요청한다는 내용의 앞 ②에 들어가는 것이 알맞다.

구문 해설 [1] '~할 때'라는 뜻의 시간의 접속사로 부사절을 이끈다.
[2] '~하자마자'라는 뜻의 시간의 접속사로 부사절을 이끈다.

4

Ukrainians / decorate / their Christmas trees / with artificial spiders and spider webs. Here / is / how the idea / was born. Once there / lived / a poor family. Their Christmas tree / always had / nothing on it / [1]**because** they / weren't able to buy / anything. [2]**Though** their Christmas tree / wasn't / beautiful, / they / were / always happy. One Christmas morning / they / found / a spider web / on their Christmas tree. When the morning sun / rose, / the web / turned / silver and gold. Since then, Ukrainians / have put / artificial spiders and spider webs / on their Christmas trees.

우크라이나 사람들은 자신들의 크리스마스트리를 인조 거미와 거미줄로 장식한다. 여기 그 아이디어가 어떻게 탄생하게 되었는지에 관한 이야기가 있다. 옛날에 한 가난한 가족이 살았다. 그들은 아무것도 살 수 없었기 때문에 그들의 크리스마스트리 위에는 항상 아무것도 없었다. 비록 그들의 크리스마스트리는 아름답지는 않았지만, 그들은 항상 행복했다. 어느 크리스마스 날 아침 그들은 자신들의 크리스마스트리 위에서 거미줄을 발견했다. 아침 해가 떴을 때, 그 거미줄은 은과 금으로 변했다. 그때 이후로, 우크라이나 사람들은 크리스마스트리 위에 인조 거미와 거미줄을 올려놓는다.

정답 ⑤

문제 해설 이 글은 우크라이나 사람들이 크리스마스트리를 인조 거미와 거미줄로 장식하는 이유를 설명하고 있으므로, ⑤가 이 글의 주제로 가장 적절하다.

구문 해설 [1] '~ 때문에'라는 뜻의 이유의 접속사로 뒤에 '주어+동사 ~'가 온다.
[2] '~에도 불구하고'라는 뜻의 양보의 접속사로 뒤에 '주어+동사 ~'가 온다.

STEP 3 »» 구문 Master

p. 102

구문+어법

1 but
2 but also
3 Before
4 when
5 because
6 If
7 so
8 both

구문 분석 노트

1 ① 형용사 ② smart ③ 똑똑할 뿐만 아니라 부지런하다
2 ① 전치사구 ② by airplane ③ 배나 비행기
3 ① 시간의 접속사 ② ~할 때 ③ 들었을 때
4 ① 이유의 접속사 ② ~ 때문에 ③ 놓쳤기 때문에

구문+어법 해석/해설

1 이 병은 비어있지만 무겁다.
상반된 단어 empty와 heavy가 있으므로 등위접속사 but(~(하)지만)이 알맞다.

2 그것은 파리뿐만 아니라 모기도 죽일 수 있다.
문장 앞에 not only가 있고, '파리뿐만 아니라 모기도'라는 의미가 적절하므로 but also가 알맞다.

3 너는 방을 떠나기 전에 전등을 꺼야 한다.
'방을 떠나기 전에'라는 의미가 적절하므로 Before가 알맞다.

4 우리는 영화가 끝날 때 나갈 것이다.
'영화가 끝날 때'라는 의미가 적절하므로 when이 알맞다.

5 피아노 연주 대회가 내일이기 때문에 나는 매우 떨린다.
떨리는 이유가 나오므로 '~ 때문에'라는 의미의 because가 알맞다.

6 당신이 에너지를 절약한다면, 당신은 지구를 도울 수 있다.
'당신이 에너지를 절약한다면'이라는 의미가 적절하므로 If가 알맞다.

7 누군가가 창문을 깨트려서, 우리 어머니는 매우 화나셨다.
창문을 깨트려서 어머니가 화가 나셨으므로 '~해서'라는 의미의 so가 알맞다.

8 Mark는 축구와 야구 둘 다 좋아하지 않는다.
문장 뒤에 and가 있고, '축구와 야구 둘 다'라는 의미가 적절하므로 both가 알맞다.

WORKBOOK

pp. 34~37

A
1. ~해서 2. 상관 3. A가 아니라 B
4. either A or B 5. A 뿐만 아니라 B도
6. 시간 7. ~하는 동안 8. ~한 후에
9. until 10. ~에도 불구하고

B
1. 무서워하는 2. 쓸다, 청소하다
3. 퍼지다 4. 세균 5. 치통
6. 문제 7. ~을 끄다 8. 인조의
9. 설명하다 10. 장식하다 11. sink
12. diligent 13. cough 14. history
15. hunt 16. thief 17. knock
18. theory 19. rise 20. run out of

C
1. light 2. carry 3. recycle
4. cross 5. share

D
1. and, Jenny와 Kale 둘 다 그들의 손을 들었다.
2. before, 수업이 시작하기 전에 나는 시간이 조금 있다.
3. if, 내가 같은 실수를 한다면 나는 매우 화가 날 것이다.
4. neither, 그는 그 영화와 연극 둘 다 보지 않았다.
5. Though, 그는 가난함에도 불구하고 그의 꿈을 결코 포기하지 않는다.

E
1. This necklace is pretty but expensive.
2. Can I go there by car or by bus?
3. Either Jenny or Tony will solve the question.
4. James is not a singer but an actor.
5. Before you turn off the computer, save your files.
6. The children played until it was dark.
7. Wash your hands with soap after you use the bathroom.
8. When the morning sun rose, the web turned silver and gold.

F
1. visit my office or call me
2. not only honest but also diligent
3. is good for both body and mind
4. take a rest after I finish my homework
5. felt asleep while my father was reading a book
6. If, recycle paper, can save a lot of trees
7. not this muffler but that scarf
8. Though, wasn't beautiful, were always happy

Unit 10 여러 가지 비교 표현

STEP 1 »» 구문 Start

pp. 104~105

01 바로 예문

1 My bag is as heavy as the suitcase.
내 가방은 그 여행 가방만큼 무겁다.

2 My puppy runs as fast as Tim's dog.
내 강아지는 Tim의 개만큼 빨리 달린다.

3 This ring is as expensive as the necklace.
이 반지는 그 목걸이만큼 비싸다.

4 She does not speak Spanish as well as a native speaker.
그녀는 스페인어를 원어민만큼 잘하지 못한다.

바로 훈련

5 Kevin's bike is not as old as mine.
Kevin의 자전거는 내 것만큼 오래되지 않았다.

6 You can change your nickname as often as you want.
너는 네가 원하는 만큼 자주 네 별명을 바꿀 수 있다.

7 Volleyball is as popular as soccer in Brazil.
브라질에서는 배구가 축구만큼 인기 있다.

8 My uncle does not like sports so much as my father.
우리 삼촌은 우리 아버지만큼 운동을 많이 좋아하지 않는다.

9 This copy machine is as useful as the old one.
이 복사기는 예전 것만큼 유용하다.

02 바로 예문

1 Mt. Halla is higher than Mt. Seorak.
한라산은 설악산보다 더 높다.

2 Peter drives more carefully than his father.
Peter는 그의 아버지보다 더 조심스럽게 운전을 한다.

3 Liam is weaker than other students.
Liam은 다른 학생들보다 더 약하다.

4 I think math is more difficult than English.
나는 수학이 영어보다 더 어렵다고 생각한다.

바로 훈련

5 This laptop is cheaper than the smartphone.
이 휴대용 컴퓨터는 그 스마트폰보다 더 싸다.

6 The actress is more famous in China than in Korea.
그 여배우는 한국에서보다 중국에서 더 유명하다.

7 I completed the sentence faster than Jamie in the class.
나는 수업 시간에 Jamie보다 문장을 더 빨리 완성했다.

8 Doing homework is easier than doing housework.
숙제하는 것이 집안일을 하는 것보다 더 쉽다.

9 Mason can fix a computer quicker than his teacher.
Mason은 그의 선생님보다 컴퓨터를 더 빨리 고칠 수 있다.

STEP 2 »» 독해력 Upgrade

pp. 106~107

1

About 5,000 years ago, / the Sahara / wasn't / ❶**as dry as** it is now. At the time, lots of grass and trees / covered / it. We / know / this / from some old paintings. These paintings / were found / in the desert / and included / pictures of giraffes, hippos, and lions. You / can't find / those animals / in the Sahara now / because they / can live / only in the places / where grass / can grow. So the animal paintings / show / that the Sahara / wasn't / that dry / and was / ❷**as green as** other places at that time.

5천 년 전쯤, 사하라 사막은 지금만큼 건조하지 않았다. 그 당시 많은 풀과 나무들이 그것을 뒤덮고 있었다. 우리는 몇 점의 옛 그림들로부터 이것을 알 수 있다. 이 그림들은 사막에서 발견되었고, 기린, 하마, 사자에 대한 그림들을 포함하고 있었다. 그 동물들은 풀이 자랄 수 있는 곳에서만 살 수 있기 때문에 당신은 현재 사하라 사막에서 그들을 찾아볼 수는 없다. 그래서 그 동물 그림들은 사하라 사막이 그 당시에는 그렇게 건조하지 않았고, 다른 장소들만큼 푸르렀다는 것을 보여 준다.

정답 ①

문제 해설 이 글은 사하라에서 발견된 그림 속 동물들을 근거로, 예전에는 사하라에 많은 동식물이 살았음을 알 수 있다고 말하고 있다. 따라서, 이 글의 요지로는 ①이 가장 적절하다.

구문 해설 ❶ '~만큼 건조한'이란 뜻의 원급 비교 표현이다.
❷ '~만큼 푸른'이란 뜻의 원급 비교 표현이다.

2

"Wash up / before dinner!" You / may have heard / this / many times. But some animals / wash / their food / before eating. Raccoons / have / the habit of cleaning their food / in water. Are / they / [1]**cleaner than** / other animals? Not really. Some scientists / say / that raccoons / do / this to get more information / about the food. They / say / raccoons' paws / are / [2]**more sensitive than** / many other animals' paws. Water / is / important / to a raccoon's sense of touch. When there / is / water, / it / helps / raccoons / to know more about the food. This / is / important for raccoons / as they / need / to figure out / what is edible and what is not.

"저녁 식사 전에 씻어라!" 당신은 이 말을 많이 들어 봤을지도 모른다. 그러나 어떤 동물들은 먹기 전에 먹이를 씻는다. 너구리들은 물에 자신들의 먹이를 씻는 습성이 있다. 그들이 다른 동물들보다 더 깨끗한 것인가? 사실 그렇지는 않다. 어떤 과학자들은 너구리들이 먹이에 대한 더 많은 정보를 얻기 위해 이렇게 한다고 말한다. 그들은 너구리들의 앞발이 다른 많은 동물들의 앞발보다 더 민감하다고 말한다. 물은 너구리의 촉각에 중요하다. 물이 있을 때, 물은 너구리들이 먹이에 대해 더 많이 아는 것을 도와준다. 이것은 너구리들이 무엇이 먹을 수 있고 무엇이 먹을 수 없는 것인지를 알아낼 필요가 있으므로 그들에게 중요하다.

정답 ⑤

문제 해설 너구리들이 먹이를 물에 씻어서 먹는 이유는 너구리들이 다른 동물들보다 더 깨끗해서가 아니라 '먹이에 대한 더 많은 정보를 얻기 위해'라는 말에서, 이 글의 주제는 ⑤ '너구리들이 물에 먹이를 씻는 이유'가 가장 적절하다.
① 너구리들에게 깨끗한 물 마시기의 중요성 ② 너구리들이 먹이를 씻는 방법 ③ 너구리들이 깨끗한 음식을 먹어야 할 필요성 ④ 너구리들이 서식하기 좋아하는 장소들

구문 해설 [1] '~보다 더 깨끗한'이란 뜻의 비교급 비교 표현이다. clean의 비교급은 cleaner이다.
[2] '~보다 더 민감한'이란 뜻의 비교급 비교 표현이다. 3음절의 sensitive의 비교급은 more sensitive이다.

STEP 1 »» 구문 Start

pp. 108~109

03 바로 예문

1 He is the bravest boy of his friends.
그는 그의 친구들 중에 가장 용감한 소년이다.

2 She sings the best in our school.
그녀는 우리 학교에서 노래를 가장 잘한다.

3 The man is the busiest person in this city.
그 남자는 이 도시에서 가장 바쁜 사람이다.

4 The blue cap is the most expensive item in this shop.
그 파란색 모자는 이 가게에서 가장 비싼 물건이다.

바로 훈련

5 Today is the happiest day of my life.
오늘은 내 인생에서 가장 행복한 날이다.

6 I chose the most beautiful dress in the closet.
나는 옷장에서 가장 아름다운 옷을 골랐다.

7 Anna reached the finish line the fastest in the class.
Anna는 반에서 가장 빠르게 결승선에 도달했다.

8 Taking care of a baby is the most difficult job for me.
아기를 돌보는 것은 나에게 가장 어려운 일이다.

9 The farmers work the hardest in spring.
농부들은 봄에 가장 열심히 일한다.

04 바로 예문

1 A motorcycle is three times faster than a bike.
오토바이가 자전거보다 세 배 더 빠르다.

2 The Earth is getting hotter and hotter.
지구가 점점 더 뜨거워지고 있다.

3 Can you send me the letter as soon as possible?
나에게 가능한 한 빨리 그 편지를 보내 줄 수 있니?

4 The more mistakes we make, the more we learn.
더 많이 실수할수록 우리는 더 많이 배운다.

바로 훈련

5 This tree is twice as high as that one.
이 나무는 저 나무보다 두 배 더 높다.

6 Tommy is cleaning his room as quickly as he can.
Tommy는 그가 할 수 있는 한 빨리 그의 방을 청소 중이다.

7 The price of computers is getting cheaper and cheaper.
컴퓨터 가격이 점점 더 싸지고 있다.

8 My baggage is four times heavier than yours.
내 짐은 네 것보다 네 배 더 무겁다.

9 The hotter the weather gets, the more energy people spend.
날씨가 뜨거워질수록, 사람들은 더 많은 에너지를 소비한다.

STEP 2 >>> 독해력 Upgrade

pp. 110~111

3

In 1968, / college student Dorthy Retallack / studied / the effects of music / on plants. She / played / different
1968년에 한 대학생인 Dorthy Retallack은 식물에 끼치는 음악의 영향을 연구했다. 그녀는 식물들에게 여러 가
kinds of music / to the plants. She / used / music / such as classical, jazz, pop, and rock. She / found / that the
지 종류의 곡을 연주해주었다. 그녀는 클래식, 재즈, 팝, 록과 같은 음악을 사용했다. 그녀는 식물들이 록을 제
plants / grew / better / with almost every type of music / except rock. Jazz and classical / were / **the most**
외한 거의 모든 종류의 음악에 대해 더 잘 자란다는 것을 발견했다. 재즈와 클래식은 식물들에게 가장 도움이 되었
helpful / to the plants. However, rock / was / the worst of all. When she / played / rock music / to the plants, /
다. 하지만 록은 모든 음악 중에서 최악이었다. 그녀가 록 음악을 식물들에게 연주해 주었을 때 그것들은
they / withered and died.
시들어 죽었다.

정답 ④

문제 해설 뒤의 'of all(모든 음악 중에서)'로 보아 최상급 표현이 와야 하므로, ④ bad를 the worst로 고쳐 써야 한다.

구문 해설 '가장 도움이 되는'이란 뜻의 최상급 비교 표현이다. helpful의 최상급은 most helpful이다.

4

Baby birds / have to break / their shell / to get out of the egg. It / may be / a very difficult job for them. They /
아기 새들은 알에서 나오기 위해 껍질을 깨야만 한다. 그것은 그들에게 매우 힘든 일일 수도 있다. 그들은
may have to be / as strong as an ox / to break it. However, they / actually don't need / to be that strong /
그것을 깨기 위해 황소만큼 강해야 할지도 모른다. 하지만 그들은 사실 난치를 가지고 태어나기 때문에 그렇게 강할 필
because they / are born / with an egg tooth. An egg tooth / is / a very tiny thing / at the tip of the beak. It / is not /
요가 없다. 난치는 부리의 끝에 있는 아주 작은 것이다. 그것은 진짜
so big or hard as a real tooth. However, **the closer** / the hatching time / comes, / **the harder** / the tooth /
이빨만큼 크거나 단단하지는 않다. 그러나 부화 시기가 다가올수록, 그 이빨은 더 단단해진다.
becomes. The tooth / helps / a baby bird / break out of the shell / more easily. Baby birds / have / it / for only a
그 이빨은 아기 새가 껍질을 더 쉽게 깨고 나오는 것을 도와준다. 아기 새들은 태어난 후 단 며칠 동안
few days / after they / are born.
만 그것을 지니고 있다.

정답 ④

문제 해설 난치(an egg tooth)는 아기 새가 껍질을 깨고 나오는 것을 도와준다고 했으므로, ④는 글의 내용으로 적절하지 않다.

구문 해설 'the+비교급 ~, the+비교급 …'은 '~할수록 더 …하다'로 해석한다.

STEP 3 »» 구문 Master

p. 112

구문+어법

1 new
2 higher
3 most
4 darker and darker
5 fastest
6 colder
7 fresh
8 more difficult

구문 분석 노트

1 ① 원급 비교 ② 원급 ③ 축구만큼 인기 있다
2 ① 비교급 비교 ② early ③ 남동생보다 일찍 일어난다
3 ① 최상급 비교 ② busy ③ 가장 바쁜
4 ① 배수사 원급 비교 ② bigger than ③ 세 배 더 크다

구문+어법 해석/해설

1 내 책가방은 네 것만큼 새것이다.
'네 것만큼 새것인'이란 의미의 원급 비교 표현이므로 형용사의 원급인 new가 알맞다.

2 백두산은 한라산보다 더 높다.
'~보다 더 높은'이란 의미의 비교급 비교 표현이므로 형용사 high에 -er를 붙인 higher가 알맞다.

3 그는 한국에서 가장 유명한 배우이다.
'가장 유명한'이란 의미의 최상급 비교 표현이므로 most가 알맞다.

4 하늘이 점점 더 어두워진다.
'점점 더 ~해지다'는 'get+비교급+and+비교급'이므로 darker and darker가 알맞다.

5 Ben은 그의 반 친구들 중에서 가장 빠른 주자이다.
'그의 반 친구들 중에서 가장 빠른 주자'란 의미의 최상급 비교 표현이므로 fastest가 알맞다.

6 내가 더 높이 올라갈수록, 날씨가 더 추워졌다.
'내가 더 높이 올라갈수록, 날씨가 더 추워졌다'라는 의미의 문장으로 'the+비교급 ~, the+비교급 …'으로 표현한다. 그러므로 colder가 알맞다.

7 이 당근은 저것(당근)만큼 신선해 보인다.
'저것(당근)만큼 신선한'이란 의미의 원급 비교 표현이므로 형용사의 원급인 fresh가 알맞다.

8 기말고사는 중간고사보다 더 어려웠다.
'중간고사보다 더 어려운'이란 의미의 비교급 비교 표현이므로 more difficult가 알맞다. 3음절 이상의 형용사나 부사의 비교급은 앞에 more를 쓴다.

WORKBOOK

pp. 38~41

A
1. ~만큼 …한/하게 2. not 3. -er 4. more 5. than 6. -est 7. most 8. (… 중에서) 가장 ~한/하게 9. ~보다 몇 배 더 …한/하게 10. 비교급

B
1. 유용한 2. 완성하다 3. 문장 4. 풀 5. 고르다 6. ~을 알아내다 7. 먹을 수 있는 8. 옷장 9. 포함하다 10. 대학 11. expensive 12. housework 13. desert 14. habit 15. sensitive 16. difficult 17. reach 18. effect 19. shell 20. twice

C
1. helpful 2. except 3. cover 4. get out of 5. different

D
1. large, 그의 방은 내 방보다 두 배 더 크다.
2. most, 인생에서 건강은 가장 중요한 것이다.
3. more, 이 소파가 저 소파보다 더 편안하다.
4. more, 더 많이 가질수록 더 많이 갖고 싶어진다.
5. and, 컴퓨터의 가격이 점점 더 싸지고 있다.

E
1. Baseball is as popular as soccer here.
2. My bag is as heavy as the suitcase.
3. I got up earlier than my sister this morning.
4. Brad is the bravest boy of her friends.
5. The world is getting smaller and smaller.
6. The more you practice, the better you will be.
7. The Sahara wasn't as dry as it is now.
8. It is not as big or hard as a real tooth.

F
1. as expensive as the necklace
2. drives more carefully than
3. solved the puzzle the fastest
4. four times faster than a bike
5. cleaning the living room as quickly as
6. were the most helpful to the plants
7. send me the letter as soon as possible
8. more sensitive than other animals' paws

정답은
이안에
있어!

조금 더
공부해
볼까?